L'ENCYCLOPÉDIE DES DINOSAURES

Pour la présente édition :

Troisième trimestre 2008

Coordination du projet : Esther Tremblay

Couverture et infographie : Marjolaine Pageau

Traduction : Patrice Théberge

Gouvernement du Québec
Programme de crédit d'impôt pour l'édition de livres
Gestions Sodec

ISBN : 978-2-89638-305-4

Imprimé en Chine

TABLE DES MATIÈRES

MA : Millions d'années
BA : Billions d'années

Dans le texte, certains mots sont en caractères **gras**. Vous trouverez plus de détails à leur sujet dans le glossaire.

FRISE CHRONOLOGIQUE

Des éruptions volcaniques massives provoquent des extinctions de masse : 90 % de la vie marine et 70 % de la vie terrestre disparaissent.

Évolution des premiers dinosaures. Ils sont en général petits (pas plus de 6 m), bipèdes et rapides. Les reptiles marins, comme l'ichtyosaure et le plésiosaure, sont aussi apparus à cette époque.

Domination des dinosaures. Première évolution des mammifères.

ÈRE MÉSOZOÏQUE -248 MA À -65 MA	
Période triasique -248 MA à -206 MA	**Période jurassique** -206 MA à -144 MA

Domination des sauropsidés comme l'archosaure. Apparition des premiers cynodontes.

Eoraptor
Cœlophysis

Mégalosaure

Apatosaure
Kentrosaure
Séismosaure
Allosaure

Compsognathus
Diplodocus
Brachiosaure

Stégosaure

Âge des dinosaures. Ils sont au sommet au niveau de la taille, de leur nombre et de leur variété. Ils dominent sur chaque continent.

Extinction K-T. Disparition des dinosaures.

ÈRE MÉSOZOÏQUE

-248 MA À -65 MA

Période crétacée

-144 MA à -65 MA

Baryonyx

Iguanodon

Acrocanthosaure

Deinonychus

Argentinosaure
Nodosaure

Giganotosaure
Spinosaure

Hadrosaure
Vélociraptor
Protocératops

Centrosaure
Troödon
Tyrannosaure
Tricératops
Ankylosaure
Edmontosaure

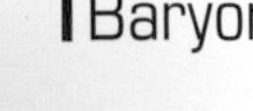

QUE SONT LES DINOSAURES ?

Les dinosaures étaient une espèce de reptile préhistorique. Ils ont dominé la Terre pendant plus de 150 millions d'années pendant une période de temps appelée « ère mésozoïque ». Les premiers dinosaures sont apparus sur Terre il y a environ 230 millions d'années. Ils sont tous disparus il y a environ 65 millions d'années.

Tout ce que nous savons à leur sujet nous provient des restes fossilisés de leurs os et, à l'occasion, d'empreintes de leur peau ou de leurs pieds. Cela signifie que les scientifiques ne possèdent que peu d'informations sur les dinosaures et leur mode de vie. Les fossiles ne permettent pas de connaître leur couleur ou le son de leur cri. Il est difficile d'en savoir plus sur

Quelques mythes

Tous les dinosaures étaient énormes.

Plusieurs étaient de taille moyenne ou même petits. Le plus petit dinosaure connu était le compsognathus (voir page 62) qui était seulement de la taille d'un poulet.

Tous les animaux préhistoriques géants étaient des dinosaures.

Plusieurs autres espèces d'animaux vivaient au Mésozoïque avec les dinosaures. Les ptérosaures volaient dans le ciel alors que les ichtyosaures nageaient dans les océans.

Certains dinosaures pouvaient voler ou nager.

Les dinosaures étaient tous des animaux terrestres. Les ptérosaures et les ichtyosaures n'étaient pas des dinosaures. Plusieurs chercheurs croient que les dinosaures ont fini par voler, mais seulement après s'être lentement transformés en oiseaux !

Les dinosaures sont les plus gros animaux à avoir existé.

Même si le dinosaure herbivore appelé argentinosaure (voir page 96) fut le plus gros animal terrestre de tous les temps, il n'était pas aussi gros que l'actuelle baleine bleue.

Les scientifiques ont répertorié 800 espèces de dinosaures et il reste sûrement plusieurs nouveaux fossiles à découvrir. De nouvelles découvertes surviennent tous les mois, mais ce ne sont pas nécessairement de nouvelles espèces.

La plupart des dinosaures étaient des créatures à sang froid qui pondaient des œufs. Cependant, ils avaient des tailles, des formes et des déplacements très différents. Il y avait des **herbivores** et des **carnivores**. Certains se déplaçaient à quatre pattes (les **quadrupèdes**) alors que d'autres marchaient sur leurs pattes arrière (les **bipèdes**).

leur comportement. Des détectives scientifiques, appelés **paléontologues**, étudient les fossiles afin d'en apprendre le plus possible.

Le terme dinosaure signifie « lézard terrible ». Il vient de deux mots grecs : deinos (terrible) et sauros (lézard). Il a été créé par Sir Richard Owen (ci-dessus, à gauche) en 1842. Auparavant, les gens ne savaient pas que les dinosaures avaient existé.

MÉGA-INFOS

- **Le plus grand : l'argentinosaure, entre 35 m et 45 m de longueur.**
- **Le plus petit : Le compsognathus, qui pesait 5,5 kg et qui mesurait 60 cm.**
- **Le plus large : l'ankylosaure, d'une largeur de 1,5 m.**
- **Le plus long cou : le mamenchisaure, dont le cou mesurait 10 m.**
- **Les plus rapides : les ornithomimidés atteignaient des vitesses d'entre 64 et 85 km/h.**
- **La première découverte : l'iguanodon en 1822.**
- **Le plus ancien : l'Eoraptor, qui vivait il y a 227 millions d'années.**

ICHTYOSAURE

Prédateur aquatique

L'ichtyosaure est un résultat de l'évolution des reptiles, mais il nageait comme un poisson. Il se déplaçait en bougeant sa puissante queue d'un côté à l'autre. Il vivait probablement près de la surface car il devait remonter fréquemment pour respirer à l'aide de narines situées au sommet de sa tête, près de son long bec. Ce dernier était rempli de petites dents coniques et pointues.

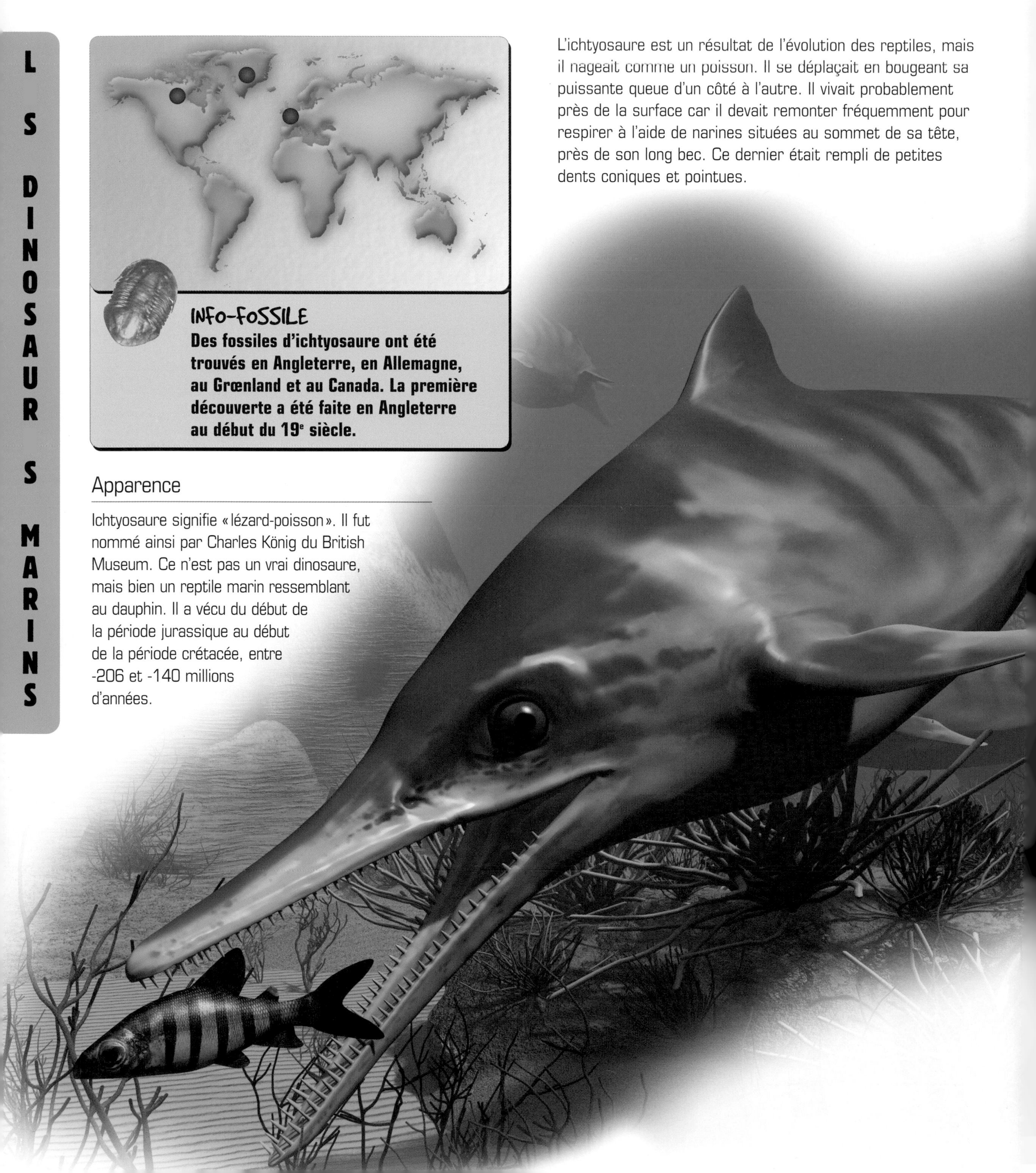

INFO-FOSSILE

Des fossiles d'ichtyosaure ont été trouvés en Angleterre, en Allemagne, au Grœnland et au Canada. La première découverte a été faite en Angleterre au début du 19e siècle.

Apparence

Ichtyosaure signifie « lézard-poisson ». Il fut nommé ainsi par Charles König du British Museum. Ce n'est pas un vrai dinosaure, mais bien un reptile marin ressemblant au dauphin. Il a vécu du début de la période jurassique au début de la période crétacée, entre -206 et -140 millions d'années.

Permien	Trias	Jurassique	Crétacé
(-290 à -248 millions d'années)	(-248 à -176 millions d'années)	(-176 à -130 millions d'années)	(-130 à -66 millions d'années)

Reproduction et régime

Les ichtyosaures avaient une peau douce, une forme effilée et des palettes natatoires qui lui permettaient de se maintenir en « équilibre » dans l'eau. Ses nageoires avant étaient deux fois plus grandes que celles de derrière. Ses yeux étaient d'une taille exceptionnelle et un solide anneau d'os les entourait. Sa queue, comme celle des poissons, l'aidait à se déplacer et sa nageoire dorsale lui donnait plus de stabilité.

Les ichtyosaures étaient des animaux vivipares. Des os de bébé ichtyosaure trouvés dans l'abdomen de restes fossilisés d'adultes ont permis d'arriver à cette conclusion. Les fossiles ont aussi enrichi nos connaissances au niveau de leur régime. Les durs crochets des tentacules de calmar ne pouvant être digérés, ils restaient dans leur ventre. Un fossile d'ichtyosaure comprenait les restes d'au moins 1 500 calmars.

Le premier fossile complet d'ichtyosaure a été trouvé à Lyme Regis, en Angleterre, par une femme dénommée Mary Anning au début du 19e siècle. Elle a passé sa vie à collectionner, à étudier et à vendre des fossiles.

MÉGA-INFOS

- **La plupart mesuraient environ 2 m alors que certains pouvaient atteindre 9 m. Le poids moyen de ces créatures ressemblant au dauphin était de 90 kg.**
- **Nous savons que les ichtyosaures étaient rapides car les restes d'un poisson qui se déplaçait très vite, le pholidophorus, ont été trouvés dans des fossiles de leurs excréments. Il pouvait nager jusqu'à 40 km/h.**
- **Les squelettes d'ichtyosaure découverts à Holzmaden, en Allemagne, étaient si bien conservés que les scientifiques ont pu y voir des parties de peau et d'os.**
- **En 2000, un squelette d'ichtyosaure, considéré comme un spécimen presque parfait, s'est révélé, après nettoyage, être un faux. Il avait été créé à l'époque victorienne à partir des os de deux différentes créatures et d'os en plâtre.**

Renseignements

Prononciation :	Ik--ti-ô-zore
Sous-ordre :	Ichtyosauriens
Famille :	Ichtyosauridés
Description :	Prédateur marin
Caractéristiques :	Yeux énormes, quatre nageoires en forme de croissant et une nageoire dorsale.
Régime :	Poisson, pieuvre, et autres créatures marines.

Fossile d'ichtyosaure

ÉLASMOSAURE

Reptile marin à long cou

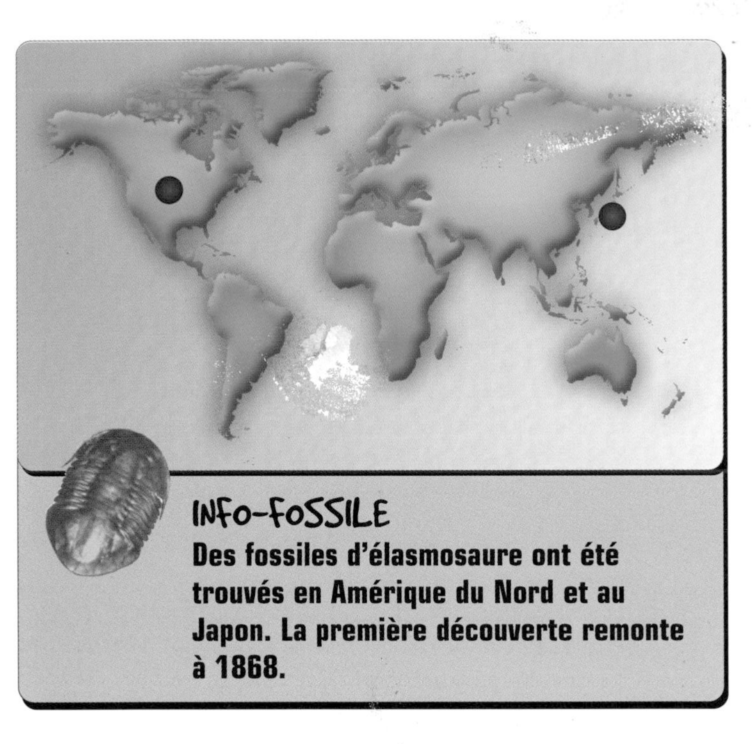

INFO-FOSSILE
Des fossiles d'élasmosaure ont été trouvés en Amérique du Nord et au Japon. La première découverte remonte à 1868.

Élasmosaure signifie « reptile à plaques » et ce, en raison des os en forme de plaque de sa ceinture pelvienne. Il vivait entre -88 et -65 millions d'années dans la grande mer intérieure qui recouvrait alors la majorité de l'Amérique du Nord occidentale. Son corps avait l'air petit en raison de son long cou mince et de sa courte queue.

L'élasmosaure a été nommé ainsi par Edward Drinker Cope qui en a découvert le premier fossile.

Malheureusement, lorsque Cope a assemblé son squelette d'élasmosaure, il a placé la tête au mauvais bout! Ses rivaux ont immédiatement constaté l'erreur et ils se sont moqués de lui pendant le restant de sa carrière.

Apparence

Le cou de l'élasmosaure renfermait plus de 70 **vertèbres**. Il était le plus grand de la famille de reptiles marins appelés **plésiosaures**. Il avait un corps large, quatre grandes nageoires, une petite tête et des dents acérées qui s'emboîtaient les unes aux autres.

Renseignements

Prononciation :	É-lass-mô-zore
Sous-ordre :	Plésiosauridé
Famille :	Élasmosauridés
Description :	Énorme reptile marin nageant lentement
Caractéristiques :	Très long cou et petite tête
Régime :	Poissons et autres petites créatures marines.

Son long cou lui permettait de se nourrir de plusieurs façons. Il pouvait flotter à la surface et s'étirer vers le bas pour saisir ses proies. Il pouvait aussi attaquer vers le haut alors que son corps était beaucoup plus bas dans l'eau. De plus, en se déplaçant lentement vers sa cible, il avait l'option d'étirer d'un coup sec son cou et de la surprendre. La petite taille de sa tête et son mince cou ne lui permettait de manger et d'avaler que de petites créatures. On a retrouvé des petits cailloux ronds dans l'estomac des fossiles d'élasmosaures. Cela pouvait aider leur digestion ou encore les aider à caler plus profondément dans l'eau.

On croit que l'élasmosaure se déplaçait très lentement. Il aurait parcouru de longues distances pour trouver des lieux sans danger pour s'accoupler et se reproduire.

Reproduction

Depuis longtemps, on a cru que l'élasmosaure pondait des œufs sur la terre ferme comme la plupart des reptiles. Cependant, plusieurs scientifiques croient maintenant qu'il était vivipare et qu'il s'occupait de ses petits jusqu'à ce qu'ils puissent se débrouiller seuls. Les élasmosaures vivaient peut-être en petits groupes afin de protéger leurs petits.

MÉGA-INFOS

- **Environ 14 m de longueur. L'élasmosaure était le plus grand des plésiosaures.**
- **L'élasmosaure est souvent représenté avec la tête et le cou très au-dessus du niveau de l'eau. Cependant, la loi de la gravité ne lui aurait pas permis de sortir plus que sa tête.**
- **L'élasmosaure, avec son long cou ressemblant à un serpent, pourrait être associé au monstre du Loch Ness (voir page 21).**

KRONOSAURE

Reptile marin géant à petit cou

Kronosaure signifie « lézard de Kronos ». Il avait un petit cou, quatre nageoires, une énorme tête avec des mâchoires puissantes et une courte queue en pointe.

Le kronosaure était un reptile marin de la famille des **plésiosaures** (un type de plésiosaure). Il était plus lourd, plus rapide et plus féroce que la plupart des plésiosaures. Il vivait dans les mers qui recouvraient une partie de l'Australie et devait remonter à la surface pour respirer. Il nageait à l'aide de ses quatre nageoires et il était peut-être en mesure de se déplacer un peu sur terre. Il est probable qu'il devait sortir de l'eau pour pondre ses œufs dans des nids creusés dans le sable.

Régime

Le kronosaure se nourrissait de créatures marines comme les ammonites et les pieuvres. Des dents rondes à l'arrière de ses puissantes mâchoires l'aidaient à broyer les coquilles et les os.

Des restes fossilisés de tortues et de petits plésiosaures ont été trouvés dans des estomacs de kronosaure. On a aussi découvert des squelettes de plésiosaures à long cou qui portaient des traces de morsure ressemblant aux siennes. Comme l'élasmosaure (voir page 12), de petites pierres ont aussi été retrouvées dans son estomac. Cela devait servir à broyer plus facilement leur nourriture au cours de la digestion.

Squelette de kronosaure

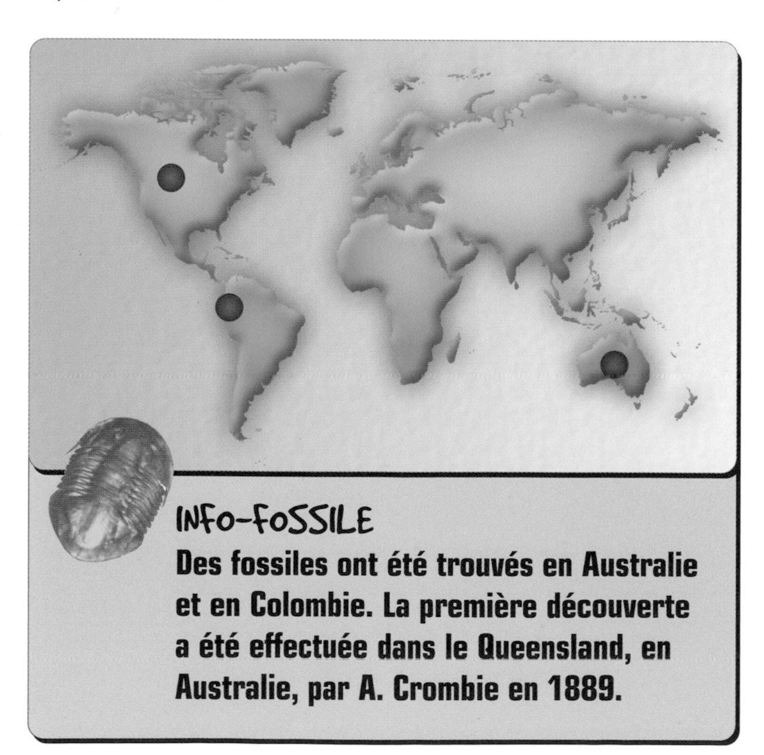

INFO-FOSSILE

Des fossiles ont été trouvés en Australie et en Colombie. La première découverte a été effectuée dans le Queensland, en Australie, par A. Crombie en 1889.

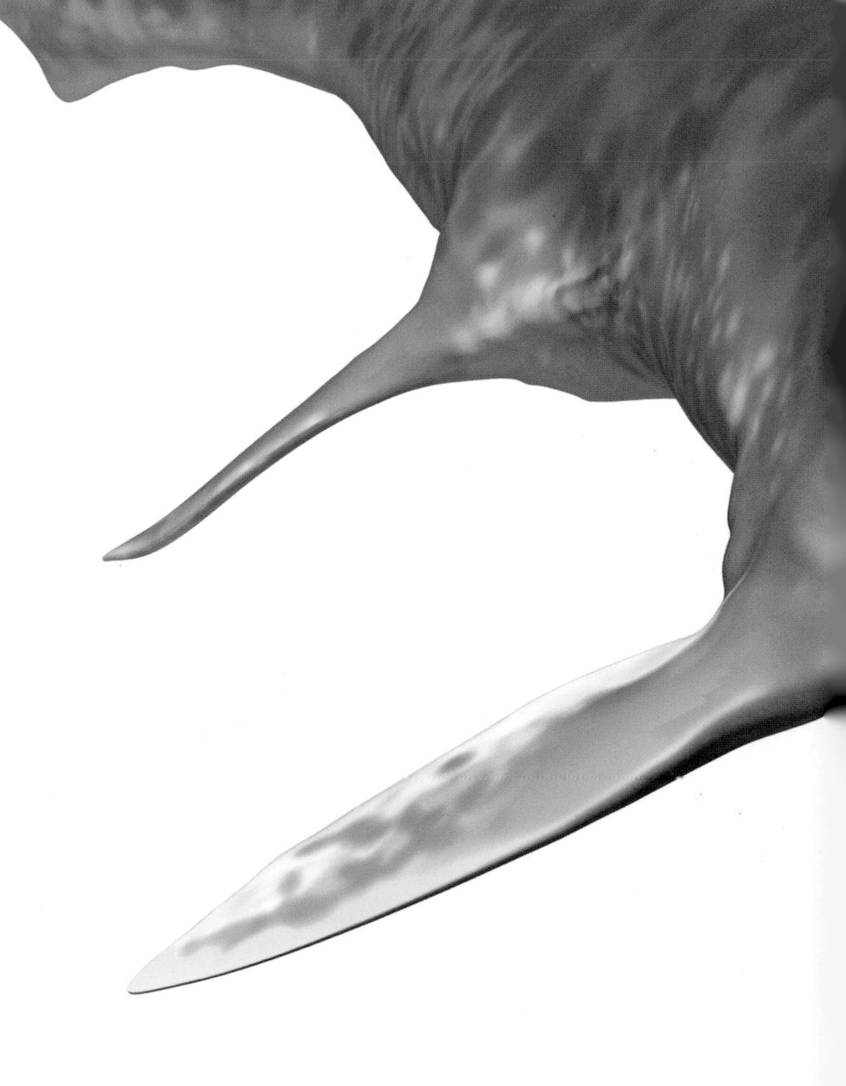

Kronosaure

Renseignements

PRONONCIATION :	KRÔ-NÔ-ZORE
DESCRIPTION :	PUISSANT PRÉDATEUR AQUATIQUE
CARACTÉRISTIQUES :	ÉNORME TÊTE, MÂCHOIRE PUISSANTE
RÉGIME :	**CARNIVORE**, IL MANGEAIT D'AUTRES CRÉATURES MARINES

Le kronosaure était peut-être capable de « sentir » ses proies sous l'eau. Il possédait des narines internes qui laissaient entrer l'eau et des narines externes au sommet de son crâne qui, elles, la laissaient ressortir. Pendant cette opération, l'odeur pouvait être détectée.

Apparence

Le kronosaure avait une tête énorme et des squelettes de 3 m ont été découverts. On estime sa longueur totale à environ 9 m. Sa tête en constituait donc le tiers!

Auparavant, l'on croyait qu'il était beaucoup plus long et il était même considéré comme le plus grand plésiosaure de tous les temps. Cependant, des études récentes démontrent qu'il n'était pas si grand. L'équipe de scientifiques qui a assemblé le premier spécimen a été forcée d'extrapoler et le nombre de vertèbres a été exagéré. Cela explique l'erreur au niveau de la longueur.

MÉGA-INFOS

- **Rapide et féroce, il était un des plus dangereux prédateurs des mers anciennes.**
- **Certaines des dents du kronosaure mesuraient 25 cm. Cependant, la majeure partie était incluse dans l'os de la mâchoire.**
- **Lors de la première découverte d'un fossile de kronosaure en 1889, l'on croyait avoir affaire à un ichtyosaure. Le nom de « kronosaure » a été utilisé pour la première fois en 1924.**
- **À l'assemblage du premier squelette de kronosaure, le spécimen était dans un tel état que les scientifiques ont dû utiliser leur imagination et le compléter avec des parties en plâtre. Ce modèle fut par la suite surnommé « plâtrosaure » !**

MOSASAURE

Énorme prédateur aquatique

Le mosasaure tient son nom de la rivière Meuse près de Maastricht (Pays-Bas), là où a été découvert son premier fossile. « Mosa » est le terme latin pour la rivière Meuse et « saure » signifie lézard. Il a été baptisé ainsi en 1822.

Le mosasaure était un gigantesque reptile carnivore qui vivait entre -70 et -65 millions d'années. Il parcourait les mers peu profondes parce qu'il devait remonter à la surface pour respirer. Il possédait un long corps fuselé, quatre nageoires et une longue et puissante queue. Il déplaçait rapidement son corps d'une longueur d'entre 12 m et 17,6 m. Sa grosse tête comportait d'énormes mâchoires (jusqu'à 1,45 m de longueur) qui pouvaient s'ouvrir de 1 m grâce leurs conceptions typiques.

Renseignements

PRONONCIATION :	MÔ-ZA-ZORE
DESCRIPTION :	RAPIDE PRÉDATEUR AQUATIQUE GÉANT
CARACTÉRISTIQUES :	MÂCHOIRES SPÉCIALES AVEC CHARNIÈRES ET LONGUE QUEUE PUISSANTE
RÉGIME :	REQUINS, POISSONS ET AUTRES REPTILES MARINS

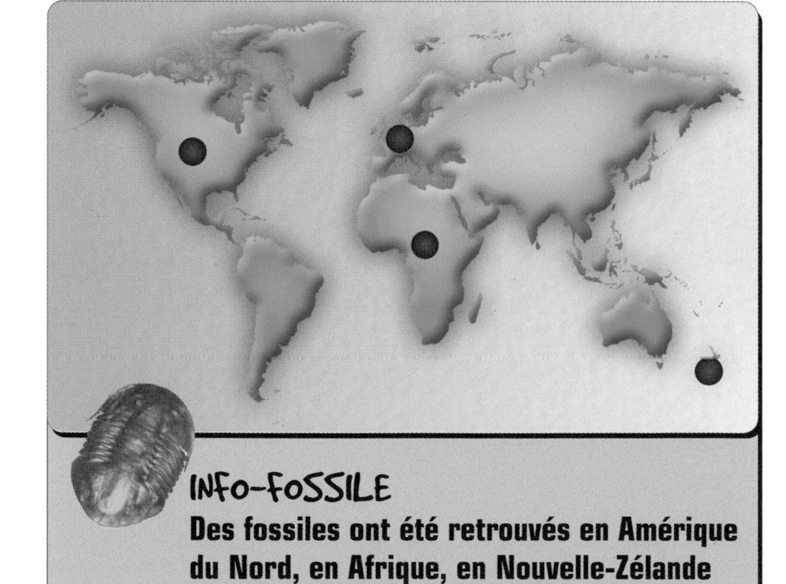

INFO-FOSSILE

Des fossiles ont été retrouvés en Amérique du Nord, en Afrique, en Nouvelle-Zélande et en Europe. La première découverte a été effectuée dans une carrière des Pays-Bas en 1780.

Mâchoires

Le mosasaure avait des mâchoires spéciales. Elles possédaient un joint supplémentaire en leur centre qui lui permettait d'avaler d'immenses bouchées. Sa mâchoire inférieure pouvait s'abaisser et bouger latéralement un peu comme celles des actuels serpents. Les lézards varanidés, proches parents du mosasaure, possèdent encore cette caractéristique. L'intérieur de ses mâchoires était constitué de rangées de dents incurvées vers l'arrière. Tout comme les chez les requins, les dents usées étaient remplacées par de nouvelles.

Régime

Des fossiles d'estomacs de mosasaure contenaient des restes de requins, de poissons osseux, de tortues et d'autres reptiles marins.

Squelette

Le mosasaure possédait environ 100 vertèbres dorsales (quatre fois plus que l'humain) qui étaient reliées les unes aux autres par un système flexible de joints à rotule. Cela permettait au mosasaure de se mouvoir dans l'eau comme une anguille. Il était l'un des plus féroces prédateurs aquatiques de son époque.

Reproduction

Les scientifiques ne sont pas tous convaincus que le mosasaure sortait de l'eau pour venir pondre ses œufs dans le sable (comme les tortues). Certains croient qu'il était vivipare.

Les fossiles de mosasaure font partie des premiers fossiles de dinosaures à avoir été découvert. Pour cette raison, les scientifiques se sont mis à se demander si ces fossiles n'appartenaient pas à une espèce disparue.

MÉGA-INFOS

- **Le mosasaure est directement relié aux lézards varanidés.**
- **Des études récentes démontrent que le premier spécimen de mosasaure découvert était une partie de crâne trouvée dès 1766 à St-Pietersburg, près de Maastricht.**
- **En 1795, un crâne de mosasaure a été cédé à l'armée d'occupation française en échange de 600 bouteilles de vin ! On le retrouve maintenant dans un musée de Paris.**
- **Comme un tylosaure, le mosasaure pouvait prendre des bouchées doubles. En effet, il lui suffisait de se « décrocher » la mâchoire pour pouvoir avaler de grosses proies comme des requins.**

Squelette de mosasaure

OPHTALMOSAURE

Prédateur aquatique avec des yeux énormes

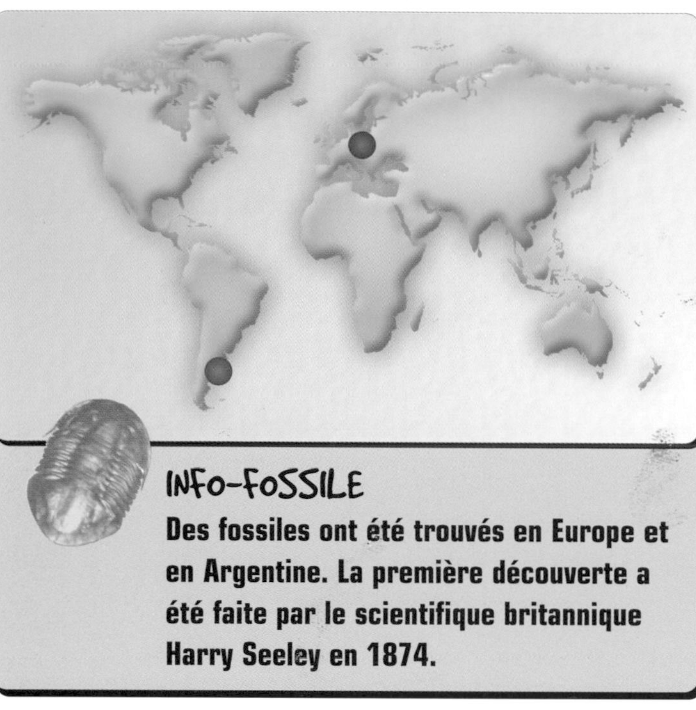

INFO-FOSSILE
Des fossiles ont été trouvés en Europe et en Argentine. La première découverte a été faite par le scientifique britannique Harry Seeley en 1874.

Ophtalmosaure signifie « lézard à œil » en grec. Son nom lui provient de ses yeux grands comme des assiettes. Il possédait les plus grands yeux (proportionnellement à son corps) de tous les vertébrés. Son œil pouvait mesurer jusqu'à 23 cm (d'un côté à l'autre) et il s'enfonçait presque au fond de son crâne. Des restes fossilisés démontrent qu'un anneau d'os entourait ses yeux afin de permettre à ces derniers de résister à la pression de l'eau. L'on peut donc conclure que l'ophtalmosaure plongeait dans les obscures eaux profondes pour capturer ses proies ou pour échapper à ses prédateurs.

Il se peut aussi qu'il ait été un chasseur nocturne. Ses grands yeux étaient bien adaptés à la faible lumière et ils lui auraient permis de repérer sa proie favorite, la pieuvre. Un œil de grande taille peut emmagasiner plus de cellules lumineuses et il permet ainsi une meilleure vision nocturne.

Apparence

Bien qu'admirablement adapté aux conditions marines, l'ophtalmosaure devait sortir de l'eau pour

Dinosaur Data

PRONONCIATION :	OF-TAL-MÔ-ZORE
FAMILLE :	ICHTYOSAURIDÉS
DESCRIPTION :	CHASSEUR COMME LE DAUPHIN
CARACTÉRISTIQUES :	ÉNORMES YEUX
RÉGIME :	CALMARS ET POISSONS

respirer, tout comme le dauphin ou la baleine. Ce n'était pas un dinosaure, mais bien un reptile marin. Agile et souple, son corps de 6 m, en forme de larme et avec une nageoire dorsale, ressemblait à celui d'un dauphin. Ses nageoires de devant étaient plus développées que celles de derrière. L'ophtalmosaure se propulsait probablement à l'aide de sa queue tout en se dirigeant avec ses nageoires de devant. Son crâne mesurait environ 1 m.

Maladie des caissons

Même s'il pouvait plonger dans les profondeurs, l'ophtalmosaure ne le faisait pas sans risques. Des restes fossilisés démontrent qu'il souffrait parfois d'une maladie que les plongeurs modernes appellent « maladie des caissons ». Elle apparaît lorsqu'un plongeur remonte trop rapidement vers la surface. L'hydrogène décompressé dans le sang forme alors des bulles qui causent de la douleur en plus d'endommager les tissus et parfois même les os. Des restes d'ophtalmosaure confirment des traces de cette maladie par des dépressions visibles au niveau des jointures et des membres.

Ophtalmosaure et sténosaure

Reproduction

L'ophtalmosaure, ne pouvant se rendre sur terre pour y pondre ses œufs, était vivipare. Ses petits naissaient la queue en premier afin d'éviter qu'ils se noient. Nous savons cela en raison de fossiles de femelles en plein accouchement. Elles pouvaient avoir entre 2 et 11 petits, mais le nombre habituel devait être de deux ou trois.

MÉGA-INFOS

- **L'ophtalmosaure vivait entre -165 et -150 millions d'années.**
- **Il pouvait plonger jusqu'à 4,9 km de profondeur et des calculs démontrent que sa vision aurait été encore bonne à cette profondeur.**
- **Il ne possédait presque pas de dents, ce qui le rendait bien adapté pour attraper des pieuvres et des poissons.**

PLÉSIOSAURE

Reptile marin à quatre nageoires

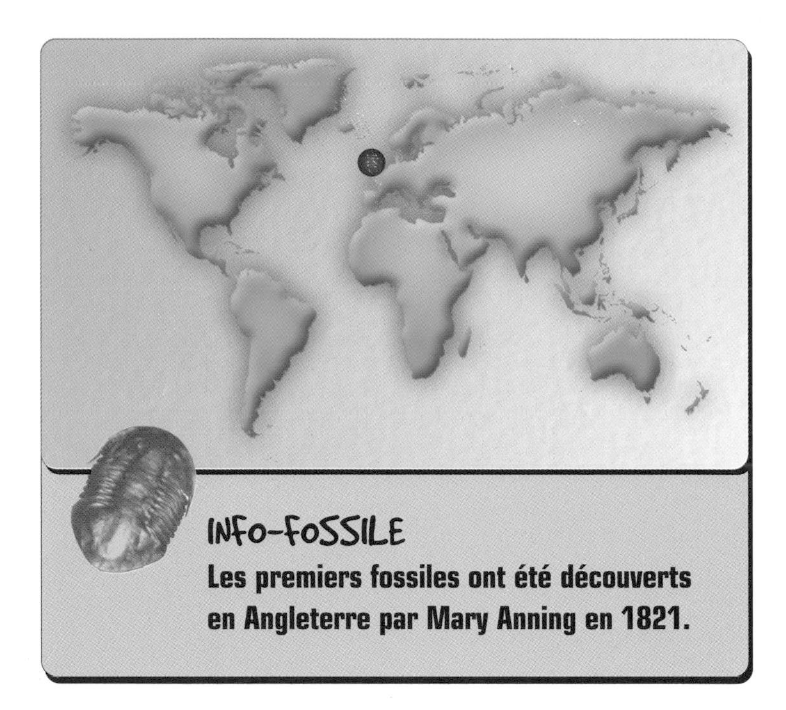

INFO-FOSSILE

Les premiers fossiles ont été découverts en Angleterre par Mary Anning en 1821.

Le nom plésiosaure signifie « proche du lézard » et provient des termes grecs plesios (proche de) et sauros (lézard). Le terme a été créé par H. T. De La Beche et William D. Conybeare en 1821.

Apparence

Le plésiosaure était un des nombreux reptiles marins qui vivaient à l'époque des dinosaures. Il était caractérisé par un long cou mince, une petite tête et un gros corps. Il mesurait environ 2,3 m et pesait à peu près 90 kg.

Le plésiosaure vivait dans les grands océans, mais il devait remonter à la surface pour respirer tout comme nos dauphins et baleines.

Nous croyons qu'il se déplaçait dans l'eau en utilisant ainsi ses nageoires : une paire qui « ramait » alors que l'autre bougeait de haut en bas. Sa queue l'aidait à se diriger. Il est la seule créature connue à s'être déplacé de cette façon.

Reproduction

Certains scientifiques ont cru que, comme la tortue, il rampait sur le sable des plages pour aller pondre ses œufs et ensuite les enterrer avant de retourner dans l'océan.

Squelette de plésiosaure

Cependant, la théorie actuelle est que le plésiosaure était un vivipare. Cela aurait facilité la tâche des petits plésiosaures qui n'auraient alors pas eu à traverser la plage, comme le font les bébés de la tortue, avant de se retrouver dans la sécurité relative de la mer.

Régime

Des restes fossilisés du contenu de l'estomac de plésiosaure montrent qu'il se nourrissait de poisson et d'autres créatures marines. Nous savons aussi qu'il avalait de petites roches qui lui permettaient d'améliorer sa digestion ou de plonger plus profondément dans l'océan.

Les premiers fossiles de plésiosaures ont été retrouvés le long de la **côte jurassique**. En 2004, un jeune plésiosaure fossilisé a été découvert à environ 50 km au nord de l'endroit où avait été trouvé le premier plésiosaure.

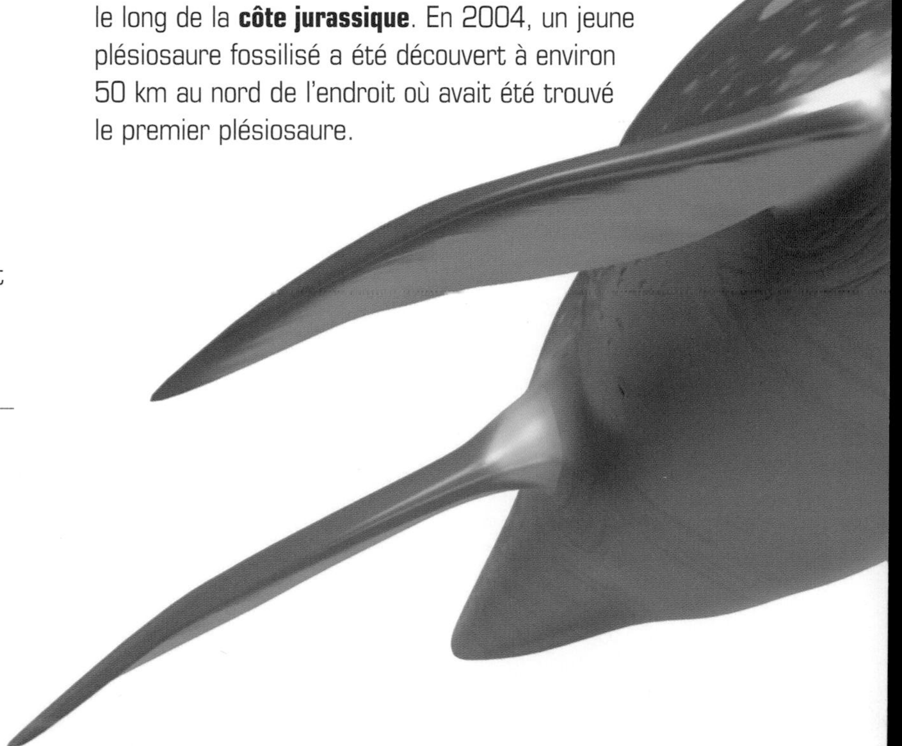

Permien	Trias	Jurassique	Crétacé
(-290 à -248 millions d'années)	(-248 à -176 millions d'années)	(-176 à -130 millions d'années)	(-130 à -66 millions d'années)

MÉGA-INFOS

- **Le premier fossile de plésiosaure a été découvert longtemps avant le premier fossile de dinosaure.**
- **Le plésiosaure est une des créatures mentionnées dans le livre Voyage au centre de la Terre de Jules Verne. Il y combat un ichtyosaure (voir page 10).**
- **Plusieurs personnes croient que le monstre du Loch Ness est un plésiosaure. Cependant, cela est peu probable car l'eau froide du loch ne pourrait pas convenir à une créature au sang froid comme le plésiosaure. De plus, la formation du loch remonte à 10 000 ans alors que les plésiosaures sont disparus il y a des millions d'années.**

Renseignements

Prononciation :	Plé-zi-ô-zore
Sous-ordre :	Plésiosauridé
Famille :	Plésiosauridés
Description :	Prédateur aquatique de la taille d'un homme
Caractéristiques :	Long cou sinueux, quatre nageoires, petite tête et longues dents acérées
Régime :	Poissons et petites créatures marines

ATTAQUE ET DÉFENSE

Les dinosaures s'attaquaient entre eux, se défendaient et étaient en compétition un avec l'autre. Même si certains dinosaures étaient dangereux, la plupart étaient de calmes **herbivores** qui n'attaquaient pas. Ces derniers tentaient plutôt de fuir et d'éviter le combat. Les dinosaures se servaient de leurs « armes » pour se défendre ou lors de compétitions relatives à la nourriture, à l'espace ou à l'accouplement.

Défense

Les dinosaures se défendaient en se déguisant, en se regroupant ou en répliquant aux attaques. Certains petits herbivores considéraient la fuite comme le meilleur moyen de survie! Ils devaient posséder une bonne ouïe et une bonne vision pour être en mesure de se sauver dès le premier signe de danger.

Les systèmes de défense et d'attaque allaient de l'utilisation des dents, des griffes et des cornes aux moyens plus passifs comme le camouflage et le blindage.

Plusieurs herbivores protégeaient les parties vulnérables de leur corps comme le cou et la colonne vertébrale à l'aide de collerettes ou de plaques osseuses sur lesquelles se brisaient les dents. Certains possédaient une griffe acérée, une corne ou une épine qui permettait de contre-attaquer.

Acrancothosaure

Quelques dinosaures pouvaient se fier uniquement à leur grosseur pour se défendre : il n'existait pas de prédateurs assez imposants pour se mesurer à un adulte.

Ceux qui vivaient en groupe, pour des raisons de protection, s'affrontaient entre eux pour, par exemple, déterminer un chef. Ces combats ne causaient ordinairement pas de blessures sérieuses ou la mort parce que dinosaures ne voulaient pas réduire leur nombre.

Attaque

Les dinosaures **carnivores** possédaient des armes terribles qui pouvaient tuer les autres dinosaures. C'étaient des dents acérées ou des pattes puissantes (pour la vitesse et les attaques soudaines).

Le daspletosaure utilisait sa puissante mâchoire armée de plusieurs dents solides et acérées. Le deinonychus était très agile et il se servait de ses griffes (aux pattes de devant et de derrière) pour s'accrocher aux autres dinosaures ou pour les blesser.

Le therizinosaure possédait des griffes géantes qu'il était loin de cacher à l'ennemi. Le troödon, un petit prédateur aux pieds plats, avait une vision en 3-D qui lui permettait probablement d'attaquer les petits mammifères qui s'activaient au crépuscule alors que les autres dinosaures n'étaient pas en mesure de voir dans le noir.

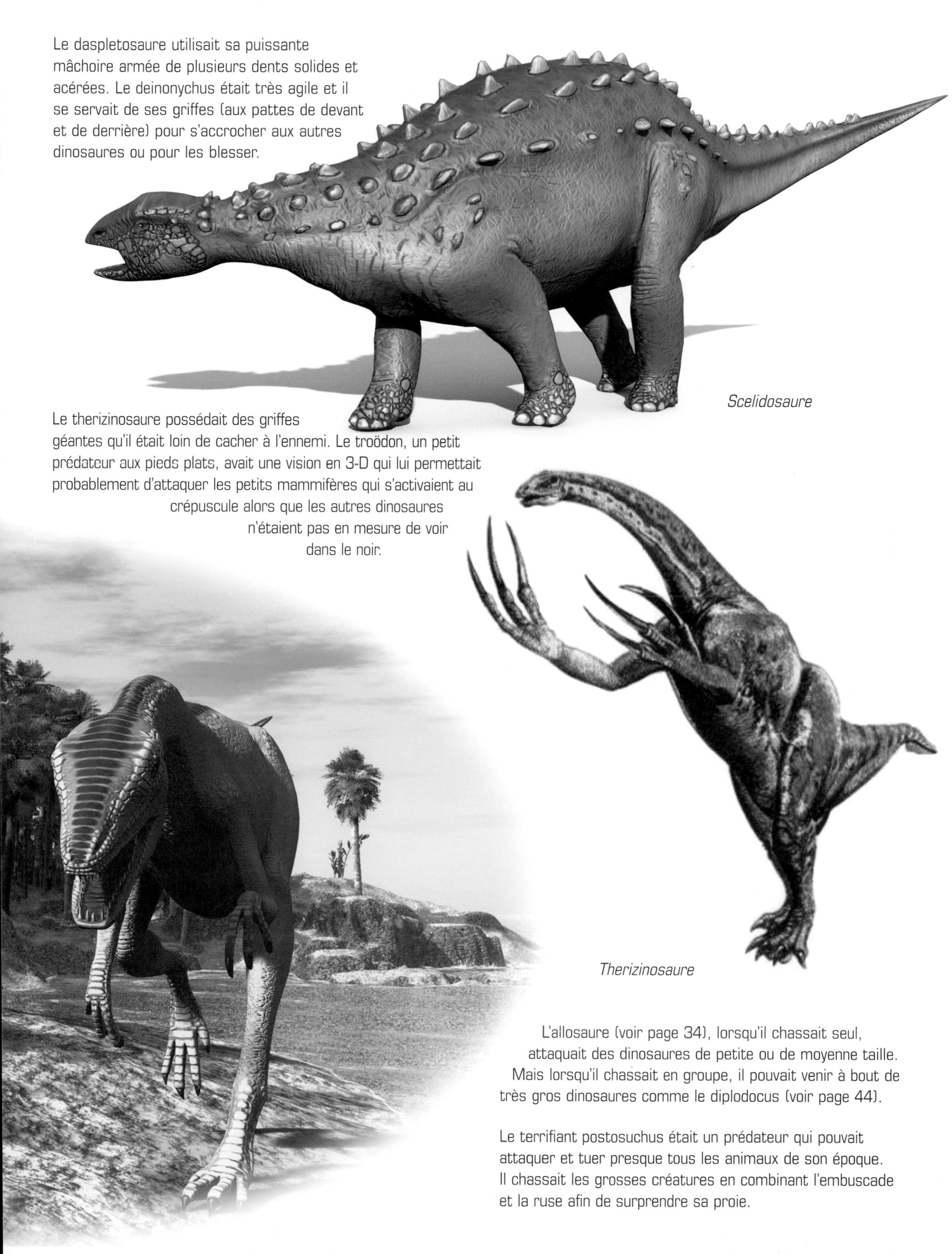

Scelidosaure

Therizinosaure

Compsognathus

L'allosaure (voir page 34), lorsqu'il chassait seul, attaquait des dinosaures de petite ou de moyenne taille. Mais lorsqu'il chassait en groupe, il pouvait venir à bout de très gros dinosaures comme le diplodocus (voir page 44).

Le terrifiant postosuchus était un prédateur qui pouvait attaquer et tuer presque tous les animaux de son époque. Il chassait les grosses créatures en combinant l'embuscade et la ruse afin de surprendre sa proie.

TYRANNOSAURE

Le roi des lézards

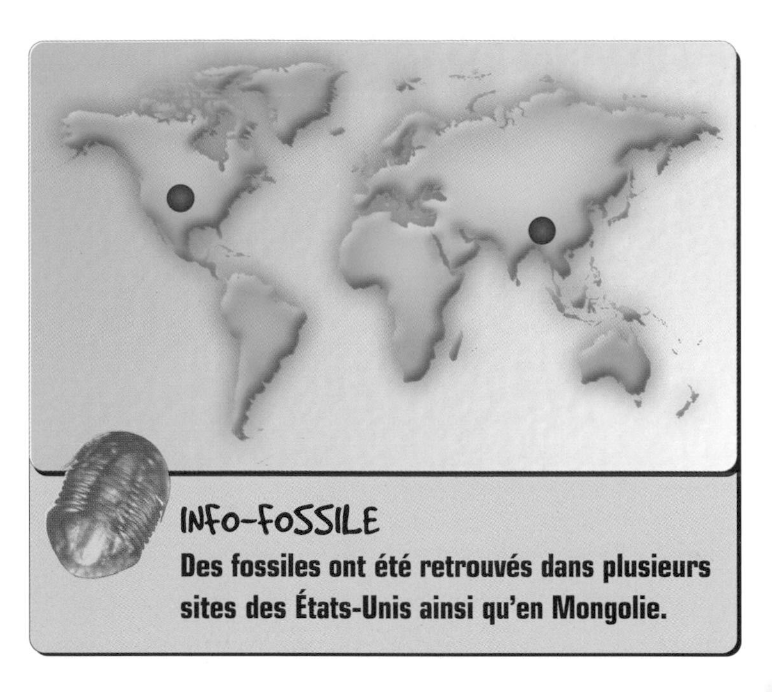

INFO-FOSSILE

Des fossiles ont été retrouvés dans plusieurs sites des États-Unis ainsi qu'en Mongolie.

Le tyrannosaure était l'un des plus grands et des plus puissants dinosaures. Il a été découvert pour la première fois en 1902. Il a reçu son nom en 1905.

Le tyrannosaure vivait possiblement en famille. Les petits dinosaures étaient souvent sujets à ses attaques féroces et ordinairement fatales. Des empreintes sur les restes fossilisés d'autres dinosaures ont été identifiées comme des morsures de tyrannosaure.

Les puissantes pattes de derrière et les grands pieds du tyrannosaure lui permettaient de marcher et de courir, donc de chasser, sur de longues distances. Ses mains étaient petites, mais elles étaient armées de terrifiantes griffes qui lui offraient la chance de transpercer et de déchirer la peau de ses proies. Il pouvait arracher la peau d'une carcasse à l'aide de ses dents acérées et il pouvait aussi écraser et broyer des os avec sa mâchoire puissante. Il profitait de toutes les occasions pour se nourrir et il se contentait de carcasses d'animaux morts lorsqu'il ne parvenait pas à trouver de la viande fraîche.

Renseignements

Prononciation :	Ti-ran-ô-zore
Sous-ordre :	Thérapode
Famille :	Tyrannosauridés
Description :	Grand et puissant carnivore
Caractéristiques :	Prédateur dominant
Régime :	Proies et carcasses

Apparence

Le tyrannosaure avait une hauteur d'entre 4,5 m et 6m. Il pouvait donc voir à travers le sommet des arbres des forêts marécageuses où il vivait.

Le plus récent fossile de tyrannosaure a été découvert au Dakota du Sud en 1990. Il a été surnommé « Sue » en l'honneur de la femme qui l'a trouvé. Il est maintenant exposé au Field Museum de Chicago.

MÉGA-INFOS

- **Plus de 12 m de son nez jusqu'au bout de sa queue.**
- **Il avait une vitesse d'entre 16 km/h et 48 km/h.**
- **Sa mâchoire puissante comportait 58 dents crénelées de 15 cm. Elles repoussaient au besoin.**
- **Le squelette complet d'un tyrannosaure possédait 200 os, à peu près le même nombre que l'homme.**
- **Le fossile « Sue » a été vendu aux enchères à Sotheby's pour 7,6 millions de dollars en 1997.**

Les scientifiques continuent de rechercher de nouveaux fossiles et d'examiner ceux qu'ils ont déjà afin d'en apprendre plus au sujet de la vie et de la disparition de ce **carnivore** géant.

GIGANOTOSAURE

Grand lézard du Sud (et nouveau roi des carnivores)

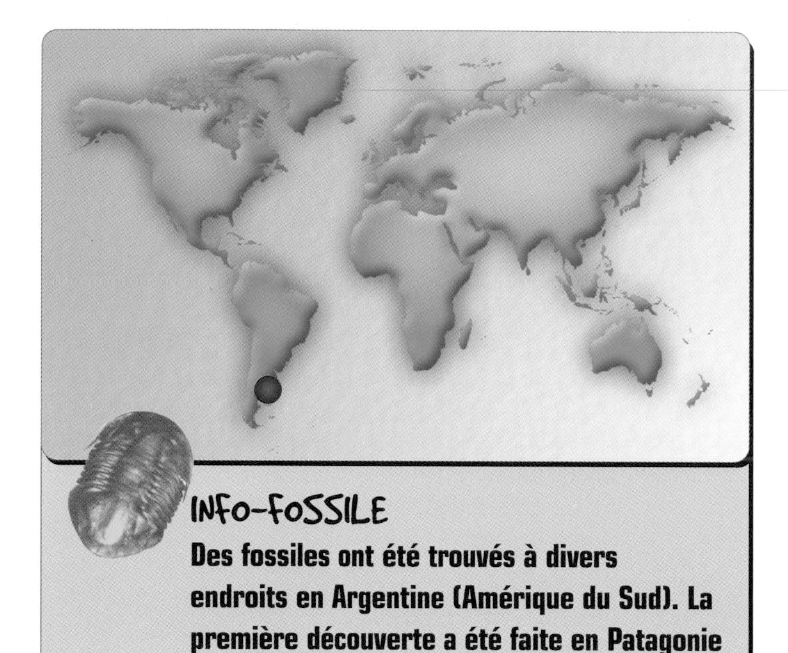

INFO-FOSSILE

Des fossiles ont été trouvés à divers endroits en Argentine (Amérique du Sud). La première découverte a été faite en Patagonie (Argentine) par Ruben Carolini en 1994.

Giganotosaure signifie « lézard géant du Sud ». Il a été baptisé ainsi par Coria et Salgado en 1995.

Le giganotosaure vivait à la même époque que les grands herbivores tel l'argentinosaure (voir page 42) qu'il pouvait chasser et dévorer. Comme le tyrannosaure (voir page 24), qui a vécu 30 millions d'années après, il chassait dans les chauds endroits marécageux.

Apparence

Le giganotosaure avait une hauteur de 5,5 m et une longueur de 15 m. Il n'est cependant pas le plus grand des dinosaures. L'argentinosaure est le plus grand dinosaure connu, mais il se peut que d'autres découvertes viennent changer ce classement. En 2006, grâce à l'étude de nouveaux spécimens, des scientifiques ont suggéré que le giganotosaure avait été remplacé par le spinosaure au sommet du classement des plus grands **carnivores**.

Même s'il était plus grand que le tyrannosaure, il était de constitution plus fragile. On croit qu'il pouvait courir assez rapidement. Sa mince queue en pointe lui permettait de maintenir son équilibre lorsqu'il courait (elle devait se déplacer d'un côté à l'autre). Elle lui donnait aussi la possibilité de faire des virages brusques. Par l'étude de son crâne, nous savons qu'il possédait probablement un bon odorat et une excellente vision (il avait de grands yeux).

Il était un bipède avec une longue queue et des mâchoires énormes. Son crâne mesurait 1,8 m.

Attaque de proies

Ses mâchoires contenaient des rangées de dents crénelées d'une longueur allant jusqu'à 20 cm et elles étaient faites pour pénétrer les chairs.

Ne possédant pas la puissance de morsure du tyrannosaure, il devait attaquer en maintenant en place sa proie. Pour ce faire, il était doté de trois doigts griffus.

Lorsqu'il chassait, il recherchait probablement les dinosaures qui étaient jeunes, faibles ou isolés. Des restes fossilisés, retrouvés ensemble, laissent croire qu'il devait chasser et vivre en groupe.

Les giganotosaures coopéraient probablement lors de tâches telles que la chasse ou la protection des petits.

MÉGA-INFOS

- **Il pesait autant que 125 humains.**
- **Il était l'une des vedettes du film Imax® 3-D, *Dinosaures vivants*. On peut aussi voir dans *Sur la terre des géants* (un spécial de la série *Walking with dinosaurs*) un groupe de giganotosaures terrassant un argentinosaure.**
- **Le plus gros giganotosaure avait un mètre de plus et pesait une tonne de plus que « Sue », le plus grand tyrannosaure connu.**
- **Il pouvait chasser des proies qui étaient dix fois plus grosses que lui.**
- **Le giganotosaure avait un crâne de la taille d'une baignoire, mais son cerveau était de la taille (et de la forme) d'une banane.**

Note : Ce n'est pas le même dinosaure que le gigantosaure (orthographe différente), qui a été appelé ainsi par Seeley en 1869.

Renseignements

Prononciation :	Jig-a-nôt-ô-zore
Sous-ordre :	Thérapode
Famille :	Allosauridés
Description :	Grand et puissant carnivore
Caractéristiques :	Prédateur dominant

BARYONYX

Un dinosaure piscivore

INFO-FOSSILE
Des fossiles ont été découverts en Angleterre et en Espagne. Le premier fossile a été trouvé par William Walker en 1983.

Baryonyx signifie « griffe puissante » et il vient des mots grecs « bary » (puissant) et « onyx » (griffe). Il a été nommé ainsi, par Angela C. Milner et Alan J. Charig en 1987, en raison de la griffe incurvée d'une longueur de 30 cm que l'on retrouvait à chacune de ses mains. À ce jour, seulement deux fossiles de baryonyx ont été découverts.

Apparence

Malgré le petit nombre de découvertes, l'on a été en mesure d'en apprendre beaucoup au sujet de ce dinosaure parce que le premier fossile trouvé était presque complet. Le baryonyx avait une longueur de 9,5 m, une hauteur de 5 m et il pesait probablement dans les environs de 2 500 kg. Il avait un long cou droit (contrairement à celui en forme de « s » des autres **théropodes**) qui supportait un crâne à longue mâchoire et à plusieurs dents. Il avait aussi une longue queue (qui aidait son équilibre), deux longues pattes de derrière et deux pattes de devant, un peu plus courtes, terminées par une griffe incurvée longue de 30 cm.

La taille et la forme des pattes de derrière du baryonyx laissent croire qu'il était rapide. L'os de la cuisse est relativement court en comparaison avec celui du mollet. Le cou du baryonyx aurait été légèrement incliné vers le bas.

Dents et régime

Les dents du baryonyx étaient très particulières pour un dinosaure; le bord tranchant en était plus fin.

Permien	Trias	Jurassique	Crétacé
(-290 à -248 millions d'années)	(-248 à -176 millions d'années)	(-176 à -130 millions d'années)	(-130 à -66 millions d'années)

Cela signifie qu'il n'était pas adapté pour déchirer la viande, mais plutôt pour maintenir en place une proie. Le baryonyx avait donc les atouts pour être un excellent pêcheur. Des restes d'écailles d'un poisson de 1 m, le lepidotes, ont été trouvés dans la région stomacale de fossiles de baryonyx. Les scientifiques croient qu'il devait se tenir sur la rive ou dans les eaux peu profondes pour attendre que les poissons passent. Puis, il devait utiliser sa grande griffe pour les harponner. Il est aussi possible qu'il ait été en mesure de tenir sa tête sous l'eau pour happer directement les poissons et ce, en raison de la position de ses narines, qui étaient situées sur le dessus de son crâne. Il pouvait donc continuer de respirer même si ses mâchoires étaient submergées.

MÉGA-INFOS

- **Le nom scientifique du baryonyx est « baryonyx walkeri » et il vient du nom du chasseur de fossiles, William Walker, qui en a fait la découverte.**
- **La mâchoire supérieure du baryonyx possédait un angle aigu près de son museau. Cette caractéristique, présente aussi chez les crocodiles, empêchait les proies de s'échapper.**
- **Le baryonyx est le premier dinosaure carnivore à avoir été découvert en Angleterre et le premier dinosaure piscivore connu de par le monde.**

Renseignements

PRONONCIATION :	BAR-I-ONF-IKS
SOUS-ORDRE :	THÉRAPODE
FAMILLE :	SPINOSAURIDÉS
DESCRIPTION :	DINOSAURE MANGEUR DE POISSONS
FEATURES:	LONG COU DROIT, 96 DENTS ACÉRÉES À CRÉNELURES MICROSCOPIQUES ET GRIFFES DE 30 CM AUX MAINS.
RÉGIME :	POISSONS; IL ÉTAIT PISCIVORE ET IL EST UN DES DEUX SEULS DINOSAURES DE CE GENRE À AVOIR ÉTÉ DÉCOUVERTS (L'AUTRE ÉTANT LE SUCHOMIMUS).

COMPSOGNATHUS

Petit prédateur aux pieds légers

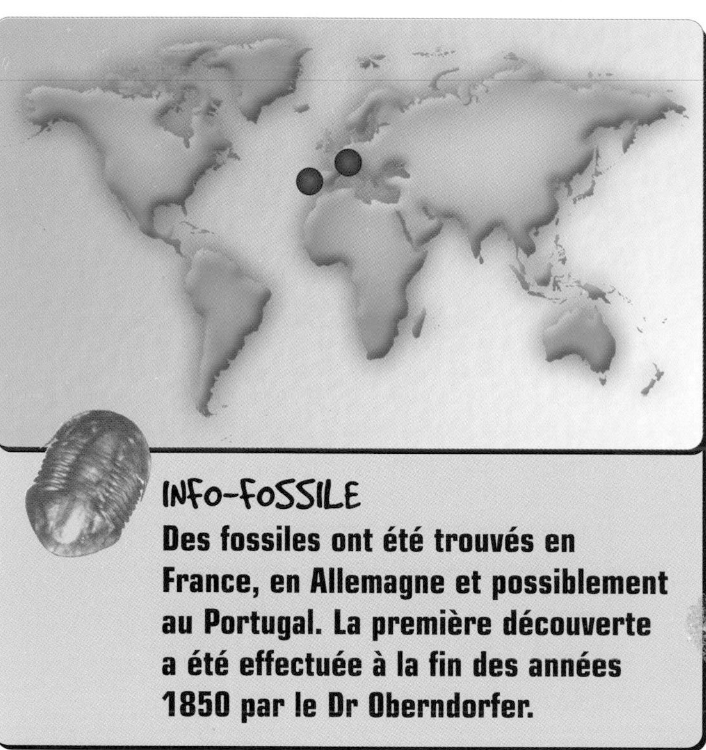

INFO-FOSSILE

Des fossiles ont été trouvés en France, en Allemagne et possiblement au Portugal. La première découverte a été effectuée à la fin des années 1850 par le Dr Oberndorfer.

Compsognathus signifie « mâchoire délicate » et provient des mots grecs « kompos » (délicat) et « gnatos » (mâchoire). Il a été ainsi dénommé en raison des os délicats de son crâne. Johann A. Wagner lui a donné cette appellation en 1859.

Le compsognathus fut l'un des premiers membres du groupe de dinosaures nommé **coelurosaure** (lézards à queue creuse). Les derniers membres de ce groupe incluaient probablement les ancêtres des oiseaux. Le compsognathus possédait des os creux partout sur son corps, ce qui le rendait très léger et rapide.

Apparence

Le compsognathus courait à l'aide de ses longues et minces pattes de derrière. Il avait des bras étonnamment petits. Sa longue queue lui servait de contrepoids et elle le stabilisait lors de virages brusques. Sa tête était petite et pointue et il possédait un long cou flexible. La forme de son crâne laisse croire qu'il avait une bonne vision et qu'il devait être assez intelligent. Les caractéristiques de son crâne et de ses jambes nous démontrent que le compsognathus était capable d'accélérer rapidement, d'atteindre de bonnes vitesses, d'être flexible et de réagir rapidement.

Nous connaissons sa taille grâce aux découvertes de deux squelettes presque complets. À l'aide d'autres squelettes partiels, on estime que sa taille se situait entre 70 cm et 140 cm. Il pesait environ 3,6 kg à maturité et sa hauteur ne dépassait pas un mètre.

Les paléontologues ne savent pas avec certitude s'il possédait deux ou trois doigts à chaque main. Peu importe, ses doigts minces devaient
l'aider à saisir

ses proies qu'il pouvait ensuite avaler d'un coup ou dépecer à l'aide de ses petites dents acérées.

Habitat

À l'époque du compsognathus, la France et le sud de l'Allemagne étaient presque entièrement recouverts d'eau. Il vivait sur les îles qui s'y trouvaient. Malgré sa petite taille, il était probablement le plus grand prédateur présent car les petites îles n'avaient pas assez de végétation pour nourrir les grands **herbivores**. L'absence de ces derniers amenait celle des grands **carnivores**, qui n'auraient eux non plus rien à se mettre sous la dent.

MÉGA-INFOS

- **Le compsognathus avait un rôle, celui du méchant « compy », dans les films *Jurassic Park II* et *Jurassic Park III*. On pouvait l'y voir chassant en groupe. Cependant, on ne sait pas si c'était là sa vraie manière de faire.**
- **Même à maturité, le compsognathus ne pesait pas plus que le poids d'un poulet.**
- **Selon des calculs faits à l'aide de la distance comprise entre des empreintes de pieds fossilisées, le compsognathus aurait été en mesure d'atteindre 40 km/h.**
- **Le premier squelette fossilisé de ce dinosaure contenait des traces d'un rapide lézard, le bavarisaurus, dans son estomac.**
- **De nos jours, les restes de dinosaures encore plus petits ont été découverts dont ceux du micropachycéphalosaure, un herbivore de 50 cm. Ce dernier, bien qu'étant considéré comme le plus petit dinosaure connu, possède le plus long nom !**
- **Des traces de plumes n'ont pas encore été trouvées dans les fossiles de compsognathus.**

Renseignements

Prononciation :	Komp-sô-gna-tusse
Sous-ordre :	Thérapode
Famille :	Compsognatidés
Description :	Bipède carnivore
Caractéristique :	Os creux
Régime :	Petits animaux

VÉLOCIRAPTOR

Bipède carnivore agile et violent

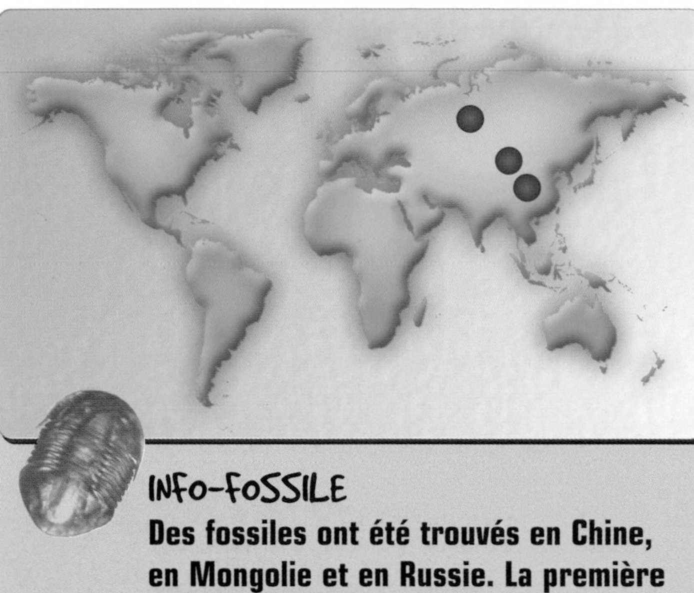

INFO-FOSSILE
Des fossiles ont été trouvés en Chine, en Mongolie et en Russie. La première découverte remonte 1914.

Vélociraptor signifie « voleur rapide ». Il vivait dans les habitats désertiques il y a environ 70 millions d'années. Il chassait, peut-être en groupe, des herbivores tel que l'hadrosaure (voir page 50).

Apparence

Il mesurait entre 1,5 m et 2 m et se tenait sur deux pattes. Il possédait de longs bras et une longue queue droite. Ces mâchoires puissantes comportaient environ 80 dents acérées dont certaines mesuraient 2,5 cm. Ces grands yeux lui donnaient une excellente vision nocturne.

Le deuxième orteil du vélociraptor était terminé par une énorme griffe. Il pouvait soulever du sol cette griffe, de la forme d'une faucille, lorsqu'il courait et s'en servir lors d'une attaque.

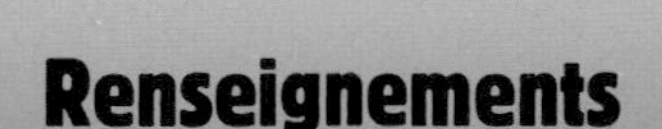

Renseignements

Prononciation :	Vé-lôs-i-rap-tor
Sous-ordre :	Thérapode
Famille :	Dromæosauridés
Description :	Petit et rapide carnivore
Caractéristiques :	Bipède très intelligent
Régime :	Chasseur et possiblement charognard

Simulation

En 2005, le Dr Phil Manning a tenté une expérience en utilisant une griffe mécanique qui simulait une attaque de vélociraptor. Les résultats démontraient que, contre de grosses proies avec une peau solide, la griffe ne permettait pas d'infliger des blessures mortelles. Ses grandes griffes devaient servir à transpercer et à maintenir en place sa victime. Ses dents acérées seraient alors utilisées pour causer des pertes de sang importantes en des endroits vulnérables.

MÉGA-INFOS

- **Les scientifiques croient actuellement que le vélociraptor était très près de l'oiseau et qu'il était peut-être couvert de plumes primitives pour se réchauffer ou parader.**
- **On croit que le vélociraptor pouvait effectuer des sauts de 3,6 m pour attaquer ses proies.**
- **Il pouvait atteindre une vitesse de 60 km/h.**
- **Le vélociraptor était probablement en partie une créature à sang chaud.**
- **Il possédait un très gros cerveau en comparaison avec la taille de son corps et il était l'un des plus intelligents dinosaures.**

Respiration

Certains scientifiques croient que le vélociraptor avait un système respiratoire semblable à celui de nos oiseaux. Ces derniers emmagasinent de l'air dans des pochettes spéciales situées dans le creux de leurs os tout en utilisant leurs poumons. Ils peuvent donc extraire l'oxygène de l'air d'une manière plus efficace que les mammifères. La comparaison entre l'anatomie des oiseaux et les restes fossilisés de dinosaures amène plusieurs similarités.

Attaque fossilisée

Un fossile intéressant a été trouvé en 1971 dans le désert de Gobi. Il montrait un vélociraptor en train d'attaquer un protocératops (voir page 74). Les griffes du vélociraptor étaient enterrées dans le corps du protocératops et elles étaient dans la région de la veine jugulaire. Cependant, le protocératops maintenait fermement un bras du vélociraptor entre ses mâchoires. Les deux ont semblé mourir dans une tempête de sable, ou un glissement de terrain, et leur bataille a été immortalisée.

ALLOSAURE

Carnivore dominant

INFO-FOSSILE

Des fossiles ont été trouvés dans l'ouest des États-Unis et, récemment, en Europe. La première découverte a été faite au Colorado (É-U).

Allosaure signifie « lézard différent ». La colonne vertébrale spéciale de l'allosaure est à l'origine de son nom. Le premier spécimen a été étudié et baptisé par Othniel C. March en 1877.

Apparence

L'allosaure avait une longueur d'entre 7 m et 12 m, une hauteur d'entre 3 m et 4,5 m et il pesait entre 1000 kg et 4 500 kg. Il possédait une énorme tête, de fortes pattes de derrière et des bras puissants. Ses mains se terminaient par de grandes griffes (on en a même découvert une de plus de 350 cm).

L'allosaure était léger grâce aux pochettes d'air présentes dans ses os. Il pouvait donc courir très vite, bondir sur sa proie, prendre une bouchée avec ses dents acérées avant de s'éloigner rapidement.

Renseignements

PRONONCIATION :	AL-Ô-ZORE
SOUS-ORDRE :	THÉRAPODE
FAMILLE :	ALLOSAURIDÉS
DESCRIPTION :	CARNIVORE BIPÈDE
CARACTÉRISTIQUES :	MÂCHOIRE À CHARNIÈRE ET CORNES ÉMOUSSÉES
RÉGIME :	DINOSAURES HERBIVORES

L'allosaure était le grand prédateur le plus commun de l'Amérique du Nord entre -155 et -145 millions d'années. Le nombre important de fossiles découverts dans cette région laisse croire que l'allosaure chassait probablement en groupe.

Squelettes

En 1991, le squelette, complet à 95 %, d'un jeune allosaure a été découvert et nommé « Big Al ». Il mesurait 8 m et 19 de ses os montraient des signes de rupture ou d'infection. Une équipe suisse, menée par Kirby Siber, a effectué la trouvaille. La même équipe a par la suite été à l'origine de la découverte, encore plus impressionnante, d'un autre squelette d'allosaure. C'était le squelette le mieux préservé à avoir été trouvé et il fut rapidement appelé « Big Al 2 ».

Attaque

Récemment, des informations plus précises au sujet du mode d'attaque de l'allosaure sont apparues. Un scientifique de l'université de Cambridge (Angleterre), Emily Rayfield, a créé un modèle informatique en utilisant le crâne de Big Al. Elle s'est aidée de techniques habituellement utilisées en ingénierie.

Elle a ainsi été en mesure de calculer la force nécessaire aux mâchoires de Big Al pour briser le crâne d'une créature vivante. Elle en a conclu que l'allosaure n'avait pas une morsure très puissante.

Le crâne de l'allosaure était très léger, mais d'une grande force lorsqu'il travaillait vers le haut. Rayfield pense donc qu'il attaquait en ouvrant grand sa gueule pour ensuite utiliser les puissants muscles de son cou pour abaisser sa mâchoire supérieure et la faire pénétrer dans sa proie comme une hache tout en arrachant au passage des lambeaux de chair.

MÉGA-INFOS

- **Les mâchoires de l'allosaure pouvaient « s'agrandir » pour lui permettre d'avaler de gros morceaux.**
- **L'allosaure est la vedette de plusieurs films.**
- **Des empreintes de pied laissent croire que l'allosaure chassait en groupe et qu'il élevait peut-être ses petits dans de grands nids.**
- **Un allosaure pouvait atteindre une vitesse de près de 60 km/h.**

MÉGALOSAURE

Énorme bipède

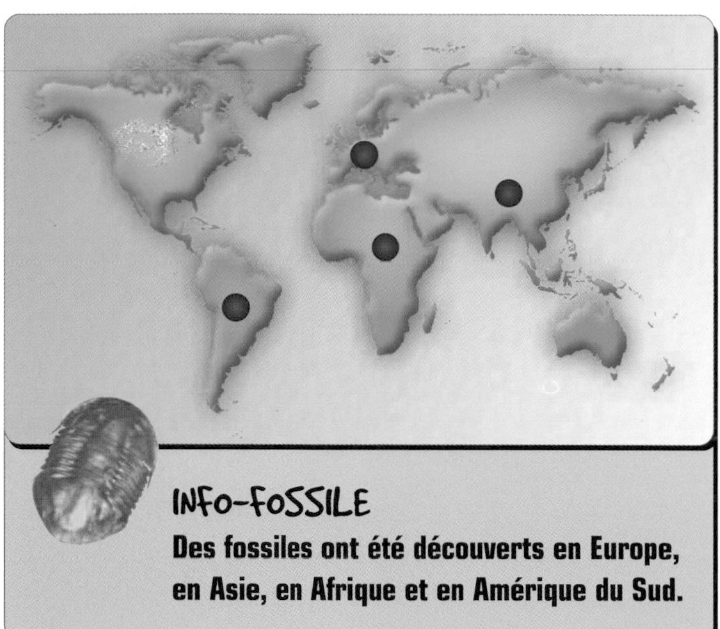

INFO-FOSSILE

Des fossiles ont été découverts en Europe, en Asie, en Afrique et en Amérique du Sud.

Mégalosaure signifie « énorme lézard ». Il fut nommé en 1824 et il est le premier dinosaure à avoir obtenu un nom scientifique.

Apparence

Aucun squelette complet n'ayant encore été découvert, il est difficile d'être certain à 100 % de son allure.

Le mégalosaure possédait une grosse tête et ses dents incurvées en forme de dents de scie étaient bien adaptées pour trancher de la viande. Ses mâchoires étaient très puissantes. Il avait de petits yeux surmontés de bosses osseuses et sa tête était maintenue par un cou fort et court.

Ce **carnivore** avait une longueur de 9 m et une hauteur de 3,7 m. Il était **bipède** et sa longue queue lui permettait de balancer sa lourde tête.

Ses pattes de derrière étaient beaucoup plus longues que celles de devant. Ses bras se terminaient par des mains qui lui servaient à agripper ses proies. Ses jambes possédaient des pieds à quatre orteils (un orteil était inversé comme chez tous les dinosaures théropodes) qui comportaient, comme ses doigts, des griffes puissantes et acérées.

Régime

Le mégalosaure était un prédateur puissant qui pouvait attaquer d'énormes proies. Il se nourrissait de dinosaures

Renseignements

PRONONCIATION :	MÉG-A-LÔ-ZORE
SOUS-ORDRE :	THÉRAPODE
FAMILLE :	MÉGALOSAURIDÉS
DESCRIPTION :	GRAND CARNIVORE BIPÈDE
CARACTÉRISTIQUES :	MÂCHOIRES PUISSANTES, CORPS VOLUMINEUX ET GROSSE TÊTE
RÉGIME	AUTRES DINOSAURES

herbivores. Il est probable que des carcasses d'animaux morts venaient compléter son régime.

Mouvement

Le mégalosaure se dandinait, à la manière d'un canard, pendant que sa queue allait d'un côté à l'autre! Selon les scientifiques qui ont étudié ses empreintes de pied fossilisées, il se déplaçait avec les pieds tournés vers l'intérieur.

Des fossiles laissent croire que le mégalosaure pouvait atteindre une grande vitesse lorsque nécessaire. En 2002, des chercheurs de l'université de Cambridge (Angleterre) ont étudié des fossiles de ses empreintes de pied. Sur une longueur de 35 m, les empreintes différaient des autres. Elles étaient distantes de 3 m tout en formant une ligne droite. On aurait dit qu'il avait placé ses pieds directement derrière lui lors de sa course.

MÉGA-INFOS

- **Des empreintes de pied fossilisées de mégalosaure et d'un autre dinosaure appelé cétiosaure ont été trouvées dans une portion de calcaire qui couvrait la moitié d'un kilomètre carré.**
- **En 1676, un os de cuisse de mégalosaure a été découvert en Angleterre. Les professeurs de l'université d'Oxford ont déclaré qu'il avait appartenu à un homme géant!**
- **Le mégalosaure était l'un des plus intelligents dinosaures.**

À la fin de ce 35 m, les empreintes ont changé alors que le dinosaure ralentissait. En quelques enjambées, elles ont changé de modèle. Elles étaient maintenant distantes de 1,3 m et elles ressemblaient à celles d'un pigeon (avec les orteils vers l'intérieur). À l'aide de ces empreintes, les scientifiques ont estimé que le mégalosaure pouvait atteindre une vitesse d'environ 29 km/h. Il se déplaçait ordinairement à environ 7 km/h.

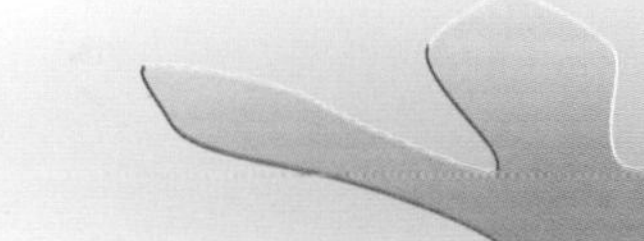

OVIRAPTOR PHILOCERATOPS

Un raptor omnivore à l'allure bizarre

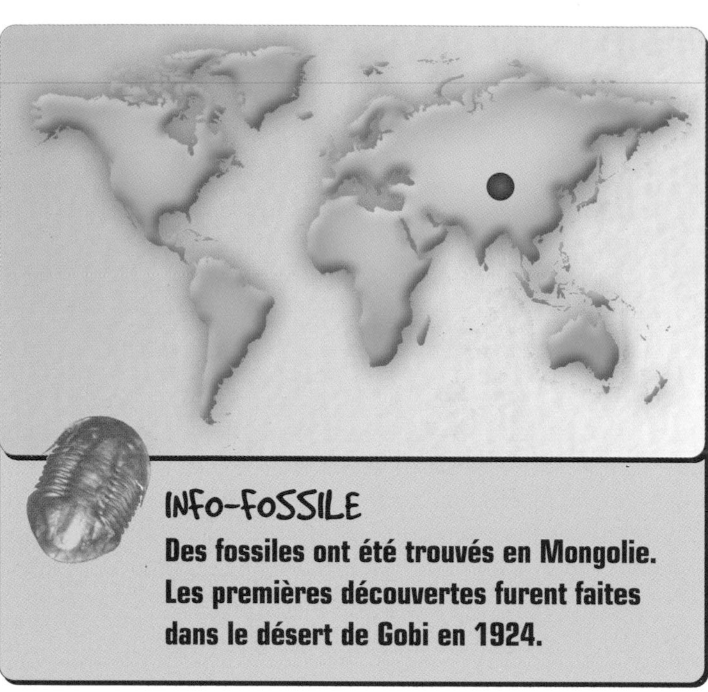

INFO-FOSSILE

Des fossiles ont été trouvés en Mongolie. Les premières découvertes furent faites dans le désert de Gobi en 1924.

L'oviraptor était un rapide **bipède** avec de longues pattes minces et de petits bras qui lui permettaient d'agripper. Au bout de ces derniers, il possédait des mains à trois doigts terminés par des griffes pouvant mesurer jusqu'à 8 cm. Il avait un cou flexible, une longue queue, des mâchoires puissantes conçues pour écraser et un crâne qui rappelait celui d'un perroquet. Son bec était surmonté d'une petite crête osseuse qui semblait changer avec le temps.

La forme de la tête et de du bec de l'oviraptor lui permettait de consommer une grande variété d'aliments. Il était probablement un **omnivore** qui mangeait tout ce qu'il pouvait trouver comme, par exemple, de la viande, des plantes, des œufs des insectes et des écailles de poisson. Les dinosaures omnivores sont très rares.

Oviraptor philoceratops signifie « voleur d'œufs, aimant les dinosaures à cornes ».

Fossile

MÉGA-INFOS

- **L'oviraptor pouvait atteindre une vitesse d'environ 70 km/h.**
- **Il avait une longueur d'entre 1,8 m et 2,5 m et il pesait environ 36 kg.**
- **Si l'oviraptor couvait ses œufs pour les garder au chaud, cela signifie qu'il avait le sang chaud. Cependant, il le faisait peut-être pour d'autres raisons comme, par exemple, la protection.**
- **Sa crête lui servait probablement à parader ou à distinguer les mâles des femelles.**
- **L'oviraptor partage plusieurs caractéristiques avec les oiseaux et il était peut-être recouvert de plumes.**

Fausses accusations

La première découverte de fossile a été mal interprétée par les scientifiques. Ils avaient trouvé un fossile d'oviraptor près d'un nid qui contenait des œufs de dinosaure et l'on croyait que ces œufs appartenaient à un autre dinosaure. Les chercheurs ont pensé que l'oviraptor volait des œufs pour se nourrir et ils l'ont donc baptisé « voleur d'œufs ».

En 1993, une équipe de scientifiques, composée d'Américains et de Mongols, a découvert le fossile d'un œuf du même genre. Cette fois, un embryon d'oviraptor s'y trouvait. Il semble donc que l'oviraptor trouvé en 1924 protégeait son propre nid!

Des preuves subséquentes de la nature protectrice de l'oviraptor proviennent de la découverte, faite en 1995, d'un oviraptor assis sur son nid. Il avait les pieds repliés sous son corps et une couvée d'au moins 15 œufs était disposée en cercle et entourée par ses avant-bras.

Reproduction

Une découverte récente faite à Jiangxi en Chine montre un squelette partiel d'oviraptor sur le point de pondre, avec des œufs intacts à l'intérieur de son corps. L'examen de ce spécimen démontre que le système reproductif de l'oviraptor est un croisement de celui des reptiles et de celui des oiseaux. Il comporte des similarités avec les deux. Cela constitue un pas de plus vers l'acceptation de la théorie qui considère que les oiseaux ne sont qu'une évolution des dinosaures.

Renseignements

Prononciation :	Ô-vi-rap-tore
Sous-ordre :	Théropode
Famille :	Oviraptoridés
Description :	Bipède omnivore
Caractéristiques :	Bec sans dent, crête cornée au sommet de la tête
Régime :	Omnivore

BRACHIOSAURE

Le géant qui se nourrit au sommet des arbres

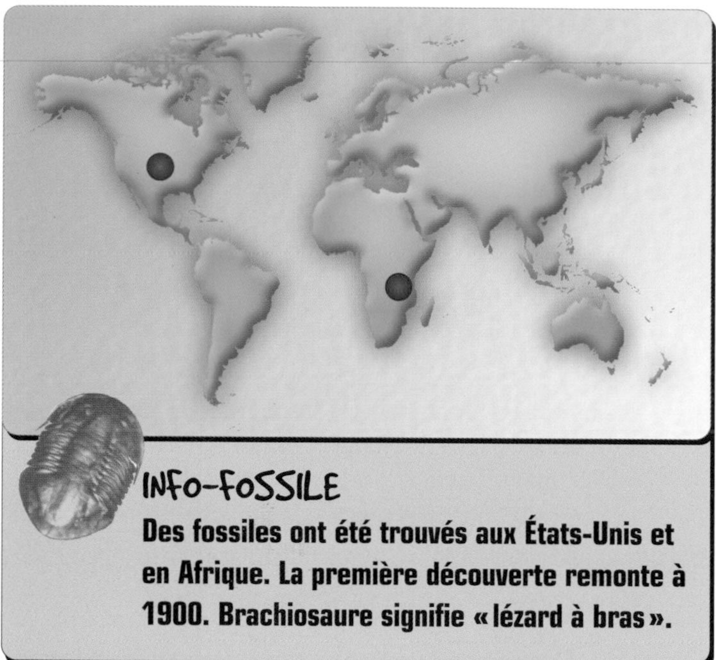

INFO-FOSSILE

Des fossiles ont été trouvés aux États-Unis et en Afrique. La première découverte remonte à 1900. Brachiosaure signifie « lézard à bras ».

Il fut désigné sous ce nom en 1903 en raison de ses longues pattes de devant. Il avait une longueur de 25 m et une hauteur de 15 m.

Il fut longtemps considéré comme le plus grand des dinosaures, mais des découvertes récentes, telle que celle de l'argentinosaure (voir page 42), prouvent qu'il ne l'était pas.

Apparence et régime

Le brachiosaure se déplaçait sur ses quatre pattes, il avait un long cou, une petite tête et une petite queue épaisse en comparaison de son corps. Ses dents en forme de ciseaux lui permettaient d'attraper les feuilles et les fruits des arbres. Il possédait des narines sur le dessus de sa tête, ce qui signifie qu'il pouvait continuellement se nourrir et ce, sans se soucier de sa respiration. Il avalait sa nourriture sans même la mâcher.

Pour aider sa digestion, le brachiosaure avalait de petites roches. Elles restaient dans son gésier. Les fibres de plantes et de feuilles étaient broyées par les roches lors de leur passage.

Système circulatoire

Afin de permettre au sang de circuler tout au long de son long cou et de se rendre jusqu'à son petit cerveau, le brachiosaure devait posséder un cœur puissant, de forts vaisseaux sanguins et des valves qui empêchaient le sang d'obéir à la loi de la gravité et, donc, de redescendre. Les scientifiques ont cru à une certaine époque qu'il avait deux cerveaux. Selon eux, le deuxième aurait été situé dans la région de la hanche. Cependant, la croyance actuelle est que cela n'était qu'une extension de la mœlle épinière.

Habitat

Au départ, les chercheurs croyaient qu'il était un dinosaure marin qui utilisait son long cou et les narines du sommet de sa tête comme un tuba dans le but de respirer. Cependant, des études récentes démontrent que la pression de l'eau l'aurait empêché de respirer lorsque submergé.

Renseignements

PRONONCIATION :	BRAK-I-Ô-ZORE
SOUS-ORDRE :	SAUROPODOMORPHE
FAMILLE :	BRACHIOSAURIDÉS
DESCRIPTION :	**HERBIVORE** À LONG COU
CARACTÉRISTIQUES :	ÉNORMES PATTES DE DEVANT ET PETITE TÊTE
RÉGIME :	HERBIVORE

MÉGA-INFOS

- **Le brachiosaure pouvait probablement vivre jusqu'à 100 ans.**
- **Il se déplaçait possiblement en groupe.**
- **Le brachiosaure devait consommer 200 kg de nourriture chaque jour pour alimenter son gros corps.**
- **Il pesait 20 fois plus qu'un gros éléphant!**
- **Une réplique à l'échelle d'un squelette de brachiosaure se retrouve à l'aéroport international O'Hare de Chicago.**

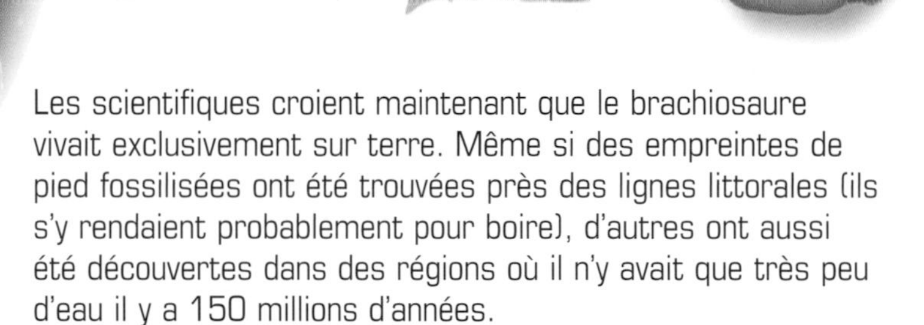

Les scientifiques croient maintenant que le brachiosaure vivait exclusivement sur terre. Même si des empreintes de pied fossilisées ont été trouvées près des lignes littorales (ils s'y rendaient probablement pour boire), d'autres ont aussi été découvertes dans des régions où il n'y avait que très peu d'eau il y a 150 millions d'années.

En 2003, une simulation informatique, menée par le Dr Donald Henderson au Canada, laisse croire que le brachiosaure aurait flotté s'il était tombé dans des eaux profondes. Les os creux de sa colonne vertébrale lui auraient permis de flotter, mais il se serait sûrement retrouvé sur le côté au lieu de rester dans sa position habituelle.

ARGENTINOSAURE

Gigantesque herbivore à long cou

INFO-FOSSILE

Les fossiles découverts en Argentine en 1988 sont les seuls à avoir été trouvés.

Argentinosaure signifie « lézard d'Argentine ». Il a été nommé ainsi par les **paléontologues** José F. Bonaparte et Rodolfo Coria en raison du lieu de leur découverte.

Apparence

L'argentinosaure avait une longueur de 40 m, une hauteur de 21 m, une largeur de 9 m et il pesait entre 90 tonnes et 110 tonnes (90 000 kg- 110 000 kg).

On n'a pas encore retrouvé un squelette entier. Seulement 10 % de son squelette a été découvert et absolument rien de son cou ou de sa queue. Les scientifiques ont utilisé les os trouvés pour relier l'argentinosaure à d'autres dinosaures apparentés. Puis, ils ont choisi la meilleure hypothèse et ils lui ont donné l'allure de ces autres dinosaures.

Il devait ressembler au brachiosaure (voir page 40) avec sa longue queue et sa petite tête triangulaire qui terminait son long cou. Il devait posséder un cœur puissant pour pousser le sang tout au long de son cou et ce, jusqu'à sa tête.

Colonne vertébrale

Les scientifiques croient que sa colonne vertébrale fonctionnait d'une manière spéciale afin de lui permettre de supporter l'énorme poids de l'animal. L'interconnexion des

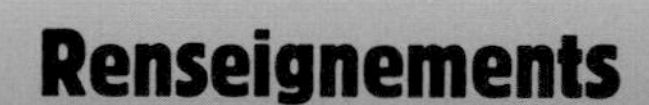

Renseignements

Prononciation :	Ar-jan-tine-ô-zore
Sous-ordre :	Sauropodomorphe
Famille :	Titanosaures
Description :	Gigantesque herbivore à long cou
Caractéristiques :	Vertèbres spéciales en interconnexion, long cou
Régime :	Surtout des conifères, mais aussi des fleurs, des fruits et des graines

vertèbres formait une espèce de pont osseux sur son dos. Curieusement pour un animal de cette taille, ses os étaient creux. Peut-être l'argentinosaure avait-il subi cette transformation afin de lui permettre de déplacer plus rapidement son importante masse.

Régime

L'argentinosaure était un herbivore qui se nourrissait de plantes. Il devait en manger une énorme quantité pour alimenter son immense corps. Il passait sûrement tout le temps qu'il était éveillé à se nourrir. Par chance, son habitat était rempli d'une végétation luxuriante. Cette région est actuellement appelée Patagonie. Il consommait probablement surtout des conifères, des graines, des fruits et des plantes en floraison.

Le plus grand animal de tous les temps est notre baleine bleue. L'argentinosaure est, lui, le plus grand animal terrestre à avoir vécu et ce, même si le séismosaure (voir page 48) avait une longueur supérieure à la sienne. Ce dernier n'était cependant pas aussi haut, large et pesant.

L'argentinosaure trône donc au sommet, du moins jusqu'à la prochaine grande découverte!

MÉGA-INFOS

- **Une vertèbre d'argentinosaure est plus haute qu'un enfant et elle mesure 1,5 m de largeur!**
- **L'argentinosaure était la proie d'un gigantesque carnivore, le giganotosaure (voir page 26), et peut-être aussi d'un carnivore récemment découvert, le mapusaurus roseæ, qui chassait en groupe.**
- **Grâce à son long cou, l'argentinosaure n'aurait aucune difficulté à regarder par les fenêtres du troisième étage, ou du quatrième, d'un immeuble.**
- **Lors de son « adolescence », lorsque sa croissance était à son maximum, l'argentinosaure pouvait engraisser d'environ 45 kg par jour!**
- **Il était aussi long que quatre autobus!**

DIPLODOCUS

Immense herbivore à long cou

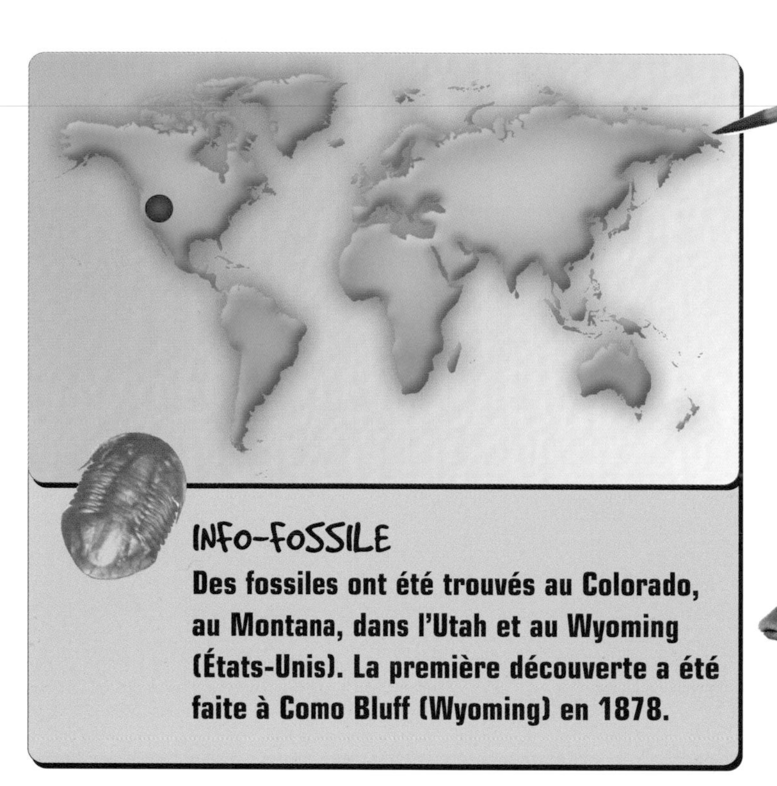

INFO-FOSSILE

Des fossiles ont été trouvés au Colorado, au Montana, dans l'Utah et au Wyoming (États-Unis). La première découverte a été faite à Como Bluff (Wyoming) en 1878.

Diplodocus signifie « double poutre ». Il a été nommé ainsi par Othniel Charles Marsh en raison de la construction spéciale des os du milieu de sa queue. Des doubles extensions d'os en protrusion s'y trouvaient et elles allaient vers l'avant et l'arrière. Elles devaient protéger les vaisseaux sanguins de la queue lorsqu'elle traînait au sol ou lorsque le dinosaure s'appuyait sur celle-ci pour maintenir son équilibre.

Squelette de diplodocus

Apparence

Le diplodocus fait partie des plus longs animaux terrestres à avoir vécu. Avec sa longueur de 27 m, il était vraiment un géant. Sa hanche s'élevait à environ 6 m et il pesait entre 10 000 kg et 11 000kg (10-11 tonnes). Le diplodocus possédait des os creux qui lui permettaient d'avoir seulement le huitième du poids du dinosaure de même taille, le brachiosaure (voir page 40).

La majorité de sa longueur lui venait de son long cou et de son encore plus longue queue en forme de fouet. Sa petite tête comportait un museau allongé et des narines sur le dessus.

En 1990, un nouveau squelette de diplodocus fut découvert et il portait des empreintes de peau. Cette trouvaille laisse croire qu'il possédait une rangée d'épines le long de son dos.

MÉGA-INFOS

- **Une réplique à l'échelle d'un diplodocus, surnommée « Dippy », peut être vue à l'extérieur du musée d'histoire naturelle Carnegie à Pittsburgh (États-Unis).**
- **Certains scientifiques croient que la queue du diplodocus pouvait lui servir d'arme. Si cela est vrai, la vitesse de l'extrémité de sa queue aurait été en mesure de briser le mur du son!**

Renseignements

PRONONCIATION :	DIP-LOD-Ô-KUS
SOUS-ORDRE :	SAUROPODOMORPHE
FAMILLE :	DIPLODOCIDÉS
DESCRIPTION :	HERBIVORE À LONG COU
CARACTÉRISTIQUES :	LONG COU, QUEUE COMME UN FOUET, OS CREUX ET PETITE TÊTE
RÉGIME :	FOUGÈRES ET CONIFÈRES

Cerveau

Le cerveau du diplodocus avait la taille d'un poing. L'on a déjà cru que le diplodocus avait deux cerveaux, un dans son crâne et l'autre à la base de sa colonne. Cependant, ce « deuxième cerveau » n'était qu'une concentration de nerfs qui lui permettaient de contrôler ses pattes de derrière et sa queue.

Les scientifiques pensent que le diplodocus ne pouvait pas élever sa tête très haut. Son long cou lui aurait plutôt permis de pousser sa tête assez loin au travers des arbres pour trouver de la nourriture. Il pouvait aussi balancer sa tête d'un côté à l'autre et ainsi couvrir une vaste étendue sans avoir à bouger. Les chercheurs croient aussi qu'il passait tout le temps qu'il était éveillé à manger et ce, dans le but d'alimenter son gigantesque corps.

Il était un **quadrupède** et chacune de ses pattes en forme de pilier comportait cinq orteils. À chaque pied, l'orteil du pouce était terminé par une griffe qu'il devait utiliser comme moyen de défense.

Régime

Le diplodocus était un **herbivore**. Il consommait surtout des feuilles de conifère et des fougères. Ses dents simples en forme de pointes lui permettaient d'arracher du feuillage mou comme des fougères, mais il ne pouvait pas les mâcher. Il avalait de petites pierres (appelées gastrolithes) pour l'aider à broyer la nourriture dans son estomac.

APATOSAURE

Anciennement connu sous le nom de brontosaure

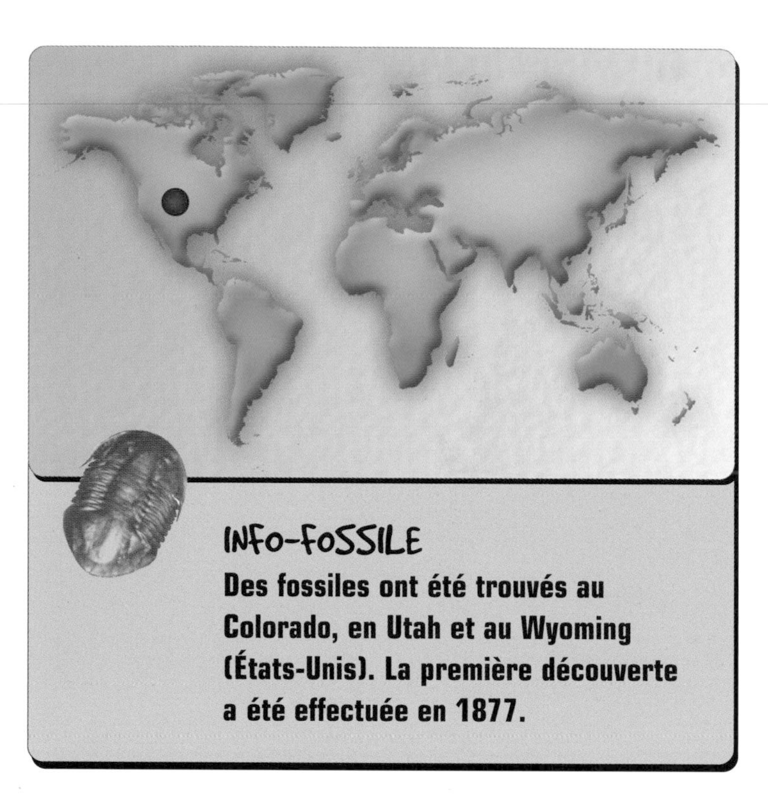

INFO-FOSSILE
Des fossiles ont été trouvés au Colorado, en Utah et au Wyoming (États-Unis). La première découverte a été effectuée en 1877.

Apatosaure signifie « lézard trompeur ».
En 1877, le **paléontologue** américain Othniel C. Marsh a fourni la description d'un dinosaure qu'il appelé apatosaure. En 1879, il a effectué des recherches sur d'autres restes d'un dinosaure et, pensant qu'il s'agissait d'une autre créature, l'a baptisé brontosaure.

Appearance

En 1903, on a découvert que le brontosaure n'était en fait qu'un apatosaure mature ! Cependant, le terme « brontosaure » est resté dans l'usage jusqu'en 1974 et certaines personnes l'utilisent encore.

L'apatosaure avait une longueur d'entre 21 m et 27 m, une hauteur à la hanche d'entre 3 m et 4,6 m et il pesait environ 27 000 kg (27 tonnes). Sa petite tête mesurait seulement 60 cm. Son long cou comportait 15 vertèbres et une longue queue en forme de fouet d'environ 15 m. À l'avant de sa mâchoire, l'on retrouvait des dents en pointes étaient idéales pour arracher les feuilles et pour brouter. L'apatosaure devait continuellement manger et les narines situées au sommet de son crâne lui permettaient de le faire sans arrêter de respirer.

L'apatosaure avalait sa nourriture sans la mâcher et, pour aider sa digestion, il avalait aussi des petites pierres qui restaient dans son gésier. Ces roches sont appelées gastrolithes.

Une étude de 1999 s'est servie d'un modèle informatique pour tester la mobilité du cou de l'apatosaure. Les résultats ont démontré qu'il ne pouvait lever sa tête qu'à une hauteur d'entre 3 m et 4 m (un petit peu plus haut que leur corps) et qu'il devait l'incliner vers le bas ou, au plus, la maintenir droite. Il pouvait cependant bouger facilement leur tête d'un côté à l'autre.

Renseignements

PRONONCIATION :	A-PAT-Ô-ZORE
SOUS-ORDRE :	SAUROPODE
FAMILLE :	DIPLODOCIDÉS
DESCRIPTION :	GRAND HERBIVORE LENT
CARACTÉRISTIQUES :	JAMBES ÉPAISSES, PETITE TÊTE, LONG COU ET LONGUE QUEUE MINCE
RÉGIME :	HERBIVORE : FEUILLES, PLANTES ET MOUSSES

Le plus grand prédateur de l'époque, l'allosaure (voir page 34), atteignait une hauteur de seulement 4,6 m. L'apatosaure tenait habituellement sa tête à 5,4 m du sol. Cela empêchait donc le **carnivore** de pouvoir l'attaquer à la tête ou au cou.

Comme chez les autres **sauropodes**, les petits apatosaures naissaient en sortant d'énormes œufs. On est presque assuré que l'apatosaure pondait ses œufs sans même arrêter de marcher et qu'il ne s'en occupait pas.

MÉGA-INFOS

- **Son cerveau avait la taille d'une grosse pomme.**
- **Dans le film King Kong de 1933, l'apatosaure était décrit comme un carnivore assoiffé de sang. C'est tout le contraire du tranquille géant herbivore qu'il était.**
- **L'apatosaure possédait une peau épaisse pour le protéger. Par contre, on a tout de même trouvé une de ses vertèbres qui portait des empreintes de morsure d'allosaure!**
- **Des empreintes de pied d'apatosaure fossilisées mesuraient plus d'un mètre de largeur!**

Apatosaure

Squelette d'apatosaure

SÉISMOSAURE

Herbivore géant avec une queue en forme de fouet

Séismosaure signifie « lézard qui fait trembler la terre ». Il fut ainsi nommé parce qu'une créature si immense devait sûrement faire trembler la terre en se déplaçant. Il a été découvert en 1979, puis étudié et baptisé par David D. Gilette en 1991. En raison de sa taille et des roches dans lesquelles il a été retrouvé, l'on a mis 13 ans à le déterrer.

Seismosaurus hallorum

Séismosaure

Le séismosaure est actuellement considéré comme le plus long animal à avoir vécu. On estimait originalement sa longueur à 52 m, mais on l'a, en 2004, réévaluée à 33,5 m. Il trône toujours au premier des plus longs animaux, mais il devance de peu la baleine bleue (30,5 m). Il devait peser environ 45 000 kg (45 tonnes).

Toutes les informations au sujet du séismosaure nous proviennent d'os fossilisés de hanche et de dos qui ont été trouvés en 1979. Parmi ces restes, plus de 200 gastrolithes (petites pierres que le séismosaure avalait pour faciliter sa digestion) ont été retrouvées. Il est possible que la mort de ce dinosaure ait été causée par une plus grosse pierre qu'il tentait d'avaler et qui s'est par la suite coincée dans sa gorge, l'empêchant de respirer.

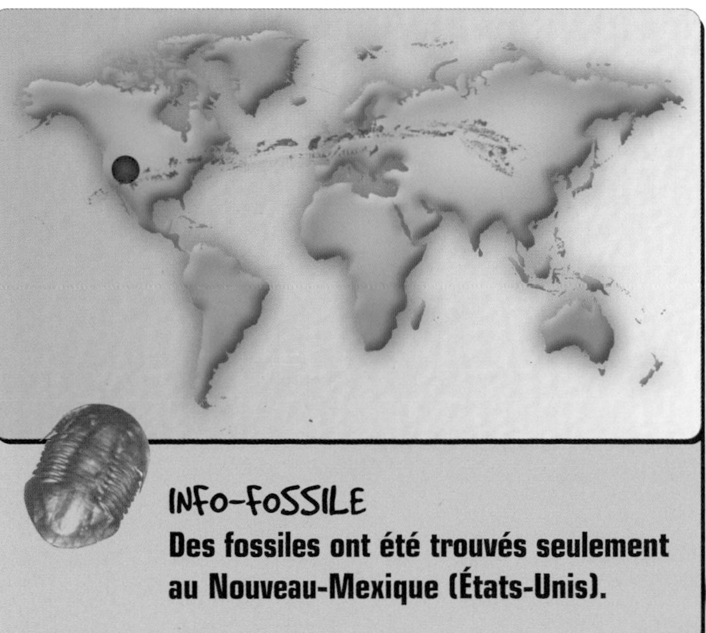

INFO-FOSSILE

Des fossiles ont été trouvés seulement au Nouveau-Mexique (États-Unis).

Apparence

Le séismosaure aurait ressemblé à un énorme diplodocus (voir page 44) et il ne devait pas avoir une hauteur beaucoup plus importante en raison de ses courtes pattes. Il possédait quatre pattes en forme de piliers qui se terminaient par des pieds à cinq orteils, comme l'éléphant. Il avait aussi un long cou et une longue queue mince pour servir de contrepoids à son cou et à sa tête. Cette dernière était petite en comparaison avec son corps et elle renfermait un minuscule cerveau.

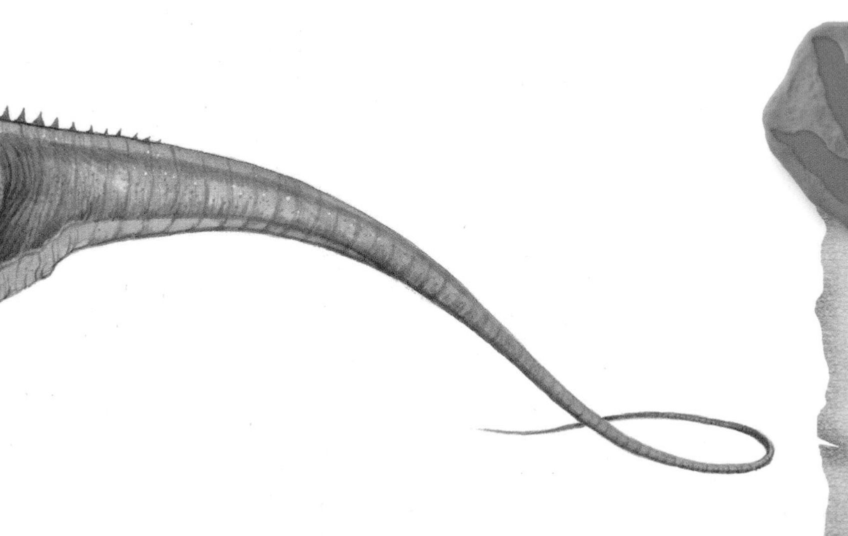

MÉGA-INFOS

- **Il naissait probablement en sortant d'un œuf, comme les autres sauropodes.**
- **Le séismosaure pouvait possiblement vivre jusqu'à 100 ans.**
- **Les restes de séismosaure ressemblent tellement à ceux du diplodocus que certains scientifiques pensent qu'il n'est pas une nouvelle espèce, mais bien une nouvelle version géante du diplodocus.**

Il possédait des dents en pointes à l'avant de sa bouche et elles étaient idéales pour arracher les feuilles des arbres et pour brouter. Les narines situées au sommet de son crâne lui permettaient de manger et de respirer en même temps. Il utilisait peut-être sa queue en forme de fouet comme arme de défense.

Le long cou du séismosaure était ordinairement maintenu parallèlement au sol. Il lui permettait possiblement d'avancer sa tête dans la forêt et d'atteindre des feuilles inaccessibles aux gros dinosaures. Peut-être s'en servait-il aussi pour manger des **ptéridophytes**, qui poussaient dans des endroits trop marécageux pour s'y aventurer. Il se nourrissait principalement de conifères, dont les forêts de son époque regorgeaient.

Renseignements

PRONONCIATION :	SÉIS-MÔ-ZORE
SOUS-ORDRE :	SAOUROPODOMORPHE
FAMILLE :	DIPLODOCIDÉS
DESCRIPTION :	HERBIVORE INCROYABLEMENT LONG
CARACTÉRISTIQUES :	LONG COU, PETITE TÊTE ET QUEUE EN FORME DE FOUET
RÉGIME :	FEUILLES, FOUGÈRES ET MOUSSES

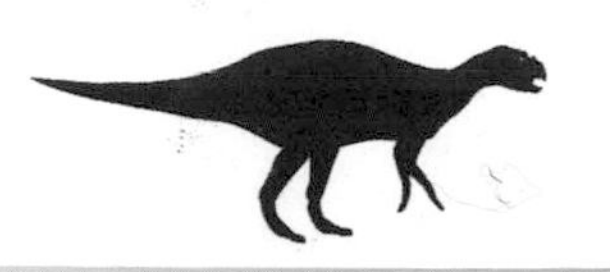

HADROSAURE

Brouteur herbivore à bec de canard

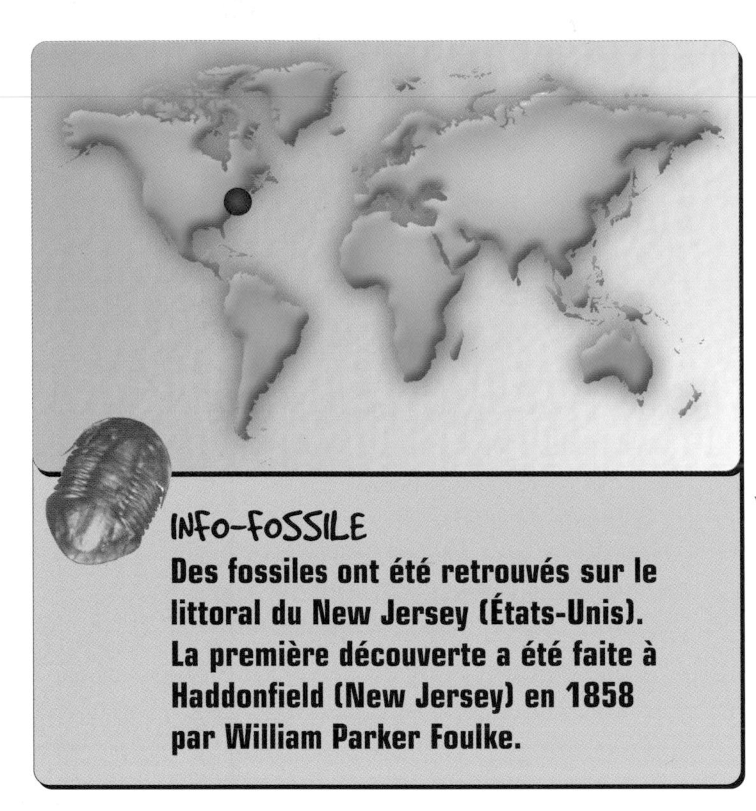

INFO-FOSSILE

Des fossiles ont été retrouvés sur le littoral du New Jersey (États-Unis). La première découverte a été faite à Haddonfield (New Jersey) en 1858 par William Parker Foulke.

Apparence et régime

L'hadrosaure était un herbivore qui broutait dans les sous-bois et les marécages de la côte Atlantique de l'Amérique entre -84 et -71 millions d'années. Il possédait un gros corps, une queue rigide et des ongles semblables à des sabots à ses quatre pattes. Il nageait bien et il pouvait s'aventurer assez loin des côtes. Il pouvait aussi survivre dans les eaux chaudes. Il avait une longueur d'entre 7 m et 10 m, une hauteur d'entre 3 m et 4 m. Il était donc plus haut qu'une maison lorsqu'il se dressait sur ses pattes de derrière! Il pesait 1 900 kg.

Hadrosaure signifie «lézard pesant». Le **paléontologue** Joseph Leidy l'a étudié et baptisé ainsi en 1858.

La découverte de l'hadrosaure est significative car c'était la première fois que l'on retrouvait un squelette de dinosaure si complet. Pendant les années 1800, plusieurs os fossilisés ont été trouvés en Europe et en Amérique du Nord. Ils ne ressemblaient pas, surtout en raison de leur taille, à ceux d'aucun animal vivant.

En 1841, le Dr Richard Owen, un spécialiste britannique en anatomie, a émis l'hypothèse que ces os avaient appartenu à un groupe de grands reptiles qui étaient depuis longtemps disparus. Il est le premier à avoir utilisé le terme «dinosaure», qui signifie «lézard terrible». Avant la découverte de l'hadrosaure, personne n'était en mesure d'imaginer l'apparence de ces créatures.

Les restes déterrés en 1858 contenaient, pour la première fois, un squelette assez complet pour documenter son anatomie. C'était aussi le premier fossile de dinosaure à être assemblé et exposé dans un musée. L'étude des dinosaures devenait alors une science respectée.

Hadrosaure

Statue d'un hadrosaure

MÉGA-INFOS

- **Même si une famille de dinosaures porte son nom, aucun crâne d'hadrosaure n'a jamais été découvert. La forme de sa tête est estimée à l'aide de crâne ayant appartenu à d'autres dinosaures à bec de canard.**
- **En octobre 2003, une statue à l'échelle d'un hadrosaure, coulée dans le bronze, a été inaugurée à Haddonfield, près de l'endroit où on l'avait découvert.**
- **Officier d'État : en 1991, l'hadrosaure est devenu le « dinosaure d'État » officiel du New Jersey.**

Ses pattes de derrière étaient plus longues que ses pattes de devant et les scientifiques ont d'abord cru qu'il était un bipède qui se déplaçait à la manière d'un kangourou. Nous savons maintenant qu'il était un quadrupède. Les plus récentes découvertes laissent croire qu'il maintenait la partie de son corps dans les airs afin de l'équilibrer lorsqu'il penchait le devant de son corps dans un mouvement qui rappelle celui de nos oiseaux. Ses pattes de devant lui auraient été utilisées pour fourrager.

Renseignements

Prononciation :	Ad-rô-zore
Sous-ordre :	Ornithopode
Famille :	Hadrosauridés
Description :	Grand herbivore à bec de canard
Caractéristiques :	Corps massif et bec sans dents
Régime :	Feuilles et brindilles

MÉLANOROSAURE

Dinosaure herbivore géant

INFO-FOSSILE

Des fossiles ont été retrouvés en Afrique du Sud en 1924 par Sydney H. Haugh.

Mélanorosaure

Mélanorosaure signifie « lézard de la Montagne Noire ». Le terme provient des mots grecs « melanos » (noir), « oros » (montagne) et « sauros » (lézard). Il fut baptisé ainsi par le **paléontologue** britannique Sydney H. Haugh en 1924. La location du premier fossile, le Thaba Nyama (Montagne Noire) en Afrique du Sud, est à l'origine de son nom.

Apparence

Le mélanorosaure vivait à l'époque du Trias. Avec ses 12 m de longueur, sa hauteur de 4,3 m et son poids d'environ 2 250 kg, il était le plus grand animal terrestre de cette période.

Comme tous les sauropodes, le mélanorosaure était herbivore et il possédait un corps massif, un long cou, une longue queue, un crâne et un cerveau relativement petits et des pattes droites comme celles de l'éléphant. On a longtemps cru que le mélanorosaure était un quadrupède, tout comme la plupart des grands sauropodes.

Cependant, des scientifiques ont récemment émis l'hypothèse que ses robustes pattes de derrière, avec leurs os forts et denses, lui auraient peut-être permis de marcher à l'aide de celles-ci. Cette théorie est renforcée par le fait que ses pattes de devant sont beaucoup plus courtes que celles de derrière.

Cette capacité de marcher sur deux pattes le classerait en tant que bipède potentiel (une créature qui peut marcher sur deux pattes, mais qui n'est pas obligée de le faire). Il se servait peut-être de cet atout pour atteindre les délicieuses feuilles situées au sommet des arbres !

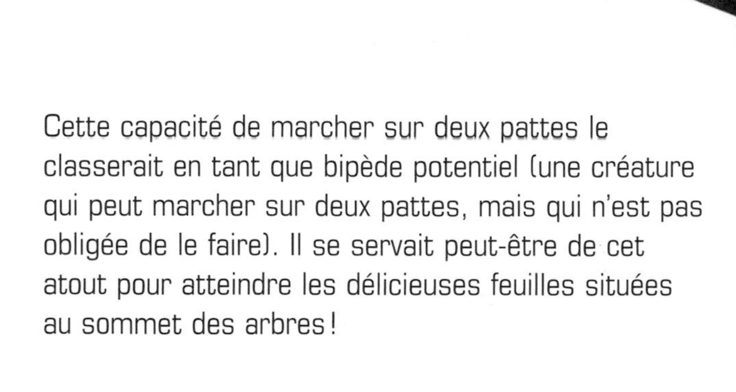

Régime

Le mélanorosaure consommait des branches, des feuilles et des brindilles. Sa hauteur et son long cou lui permettaient le haut des arbres. Il prenait de grandes bouchées et il utilisait ses dents crénelées en forme de feuille pour arracher des branches avant de mâcher efficacement la végétation et de l'avaler. Son long cou lui permettait de couvrir beaucoup de terrain sans avoir à déplacer son corps. Il pouvait ainsi économiser son énergie ; c'était une économie importante : l'entretien d'un tel corps nécessitait beaucoup d'énergie et les plantes lui en fournissaient peu.

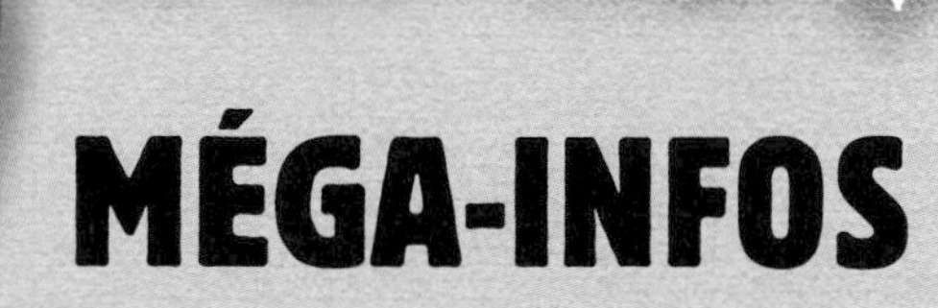

MÉGA-INFOS

- **Il était le plus gros dinosaure du Trias. Avec sa longueur de 12 m, le mélanorosaure était le plus grand de son époque. C'est seulement au Crétacé que sont apparus ceux qui allaient le surpasser.**
- **À ce jour, aucun crâne de mélanorosaure n'a été trouvé. On croit cependant que son crâne devait ressembler à celui des autres sauropodes géants. On possède plusieurs spécimens de crâne de ces derniers.**
- **Ses pattes étaient composées d'os denses alors que les os et les vertèbres de sa colonne étaient creux afin de réduire leur poids.**

Renseignements

Prononciation :	Mél-a-nôr-ô-zore
Sous-ordre :	Sauropodomorphe
Famille :	Mélanorosauridés
Description :	**Herbivore** géant à long cou
Caractéristiques :	Long cou, longue queue, corps massif et dents crénelées en forme de feuille
Régime :	Branches, feuilles et brindilles

TITANOSAURE

Herbivore géant à cuirasse

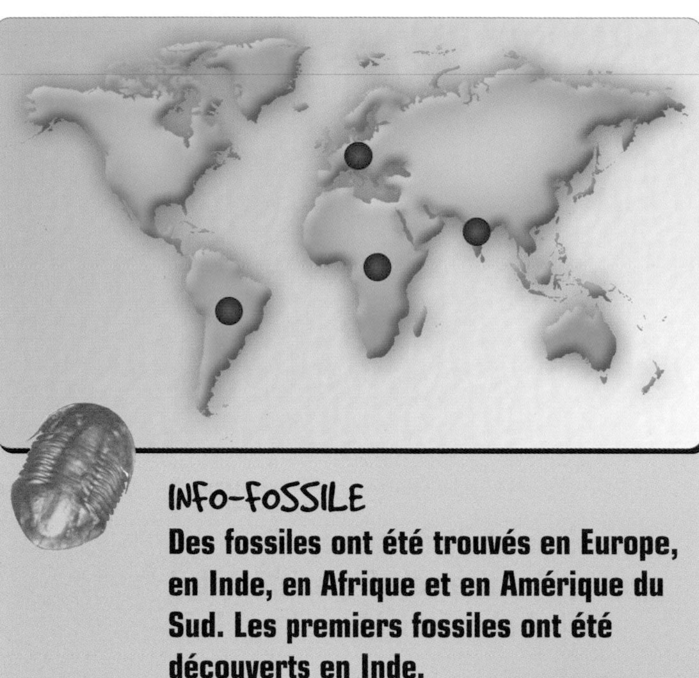

INFO-FOSSILE

Des fossiles ont été trouvés en Europe, en Inde, en Afrique et en Amérique du Sud. Les premiers fossiles ont été découverts en Inde.

Apparence

Le titanosaure avait un corps massif, une longue queue en forme de fouet et une petite tête au bout de son long cou. En comparaison avec le reste de son corps, sa tête était incroyablement petite. Cependant, elle était assez large. Il possédait de grandes narines et les os de son nez formaient une espèce de crête surélevée sur son crâne. Il avait de très petites dents.

Il pouvait atteindre une longueur d'entre 12 m et 18 m et une hauteur à la hanche d'entre 3 m et 5 m. Il pesait environ 14 700 kg (15 tonnes).

Ce dinosaure était un quadrupède. Ses pattes de devant étaient solides et massives. Ses pattes de derrière étaient plus longues que celles de devant et le titanosaure pouvait se dresser sur ces premières pour atteindre la nourriture située au sommet des arbres. Une colonne vertébrale très flexible l'aidait à effectuer cette manœuvre.

Titanosaure signifie « lézard titanesque ». Il fut dénommé ainsi par Richard Lydekker en 1877, presque 20 ans après la découverte des premiers restes.

Le titanosaure était un **sauropode**, tout comme l'argentinosaure (voir page 42) et le brachiosaure (voir page 40).

Renseignements

PRONONCIATION :	TI-TAN-Ô-ZORE
SOUS-ORDRE :	SAUROPODE
FAMILLE :	TITANOSAURIDÉ
DESCRIPTION :	HERBIVORE GÉANT À CUIRASSE
CARACTÉRISTIQUES :	LONG COU, DOS FLEXIBLE ET PEAU CUIRASSÉE
RÉGIME :	CONIFÈRES, PALMIERS ET HERBE

Permien	Trias	Jurassique	Crétacé
(-290 à -248 millions d'années)	(-248 à -176 millions d'années)	(-176 à -130 millions d'années)	

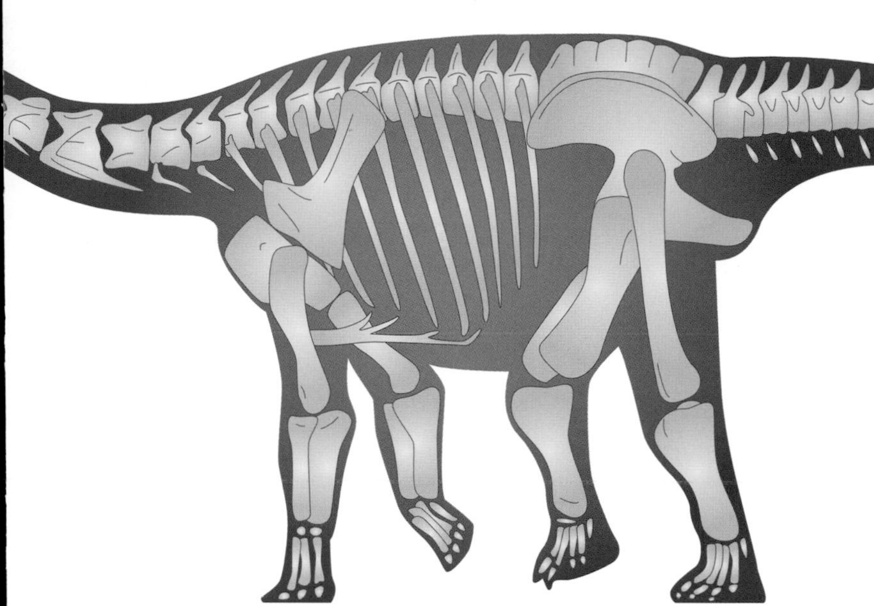

Le titanosaure avait une très grande poitrine. Pour cette raison, ses jambes étaient éloignées l'une de l'autre. Des scientifiques ont découvert des empreintes de pieds fossilisées qui démontraient que l'écart, en largeur, était beaucoup plus important que chez les autres sauropodes.

Des empreintes fossilisées de peau de titanosaure ont été trouvées et elles permettent d'affirmer qu'il était protégé par une cuirasse. Sa peau était recouverte d'écailles en forme de perle entourées de plus grosses écailles.

Régime

Les restes fossilisés d'une bouse de titanosaure démontrent qu'il avait un régime assez varié. Il mangeait presque n'importe quelle plante. En effet, des restes de conifères, de palmiers et d'herbe ont tous été trouvés. Le titanosaure vivait en groupe et il se promenait sans cesse à la recherche de nourriture.

Reproduction

Le titanosaure pondait des œufs et il est probable que le groupe se partageait une grande zone de nidification où ils creusaient des nids avant d'y enfouir leurs œufs sous une couche de poussière et de végétation. Un œuf de titanosaure devait mesurer entre 11 cm et 12 cm de largeur.

Découvertes récentes

En mai 2006, des scientifiques italiens ont annoncé la découverte, en Amérique du Sud, de quatre squelettes de titanosaure très bien conservés. Il y avait des squelettes de jeunes et d'adultes.

MÉGA-INFOS

- **Même si les œufs de titanosaure ne mesuraient que 12 cm, les créatures qui en sortaient allaient devenir plus longues qu'un autobus !**
- **Le titanosaure vivait en groupe afin de se protéger des grands prédateurs.**

STÉGOSAURE

Lent herbivore au dos en crête

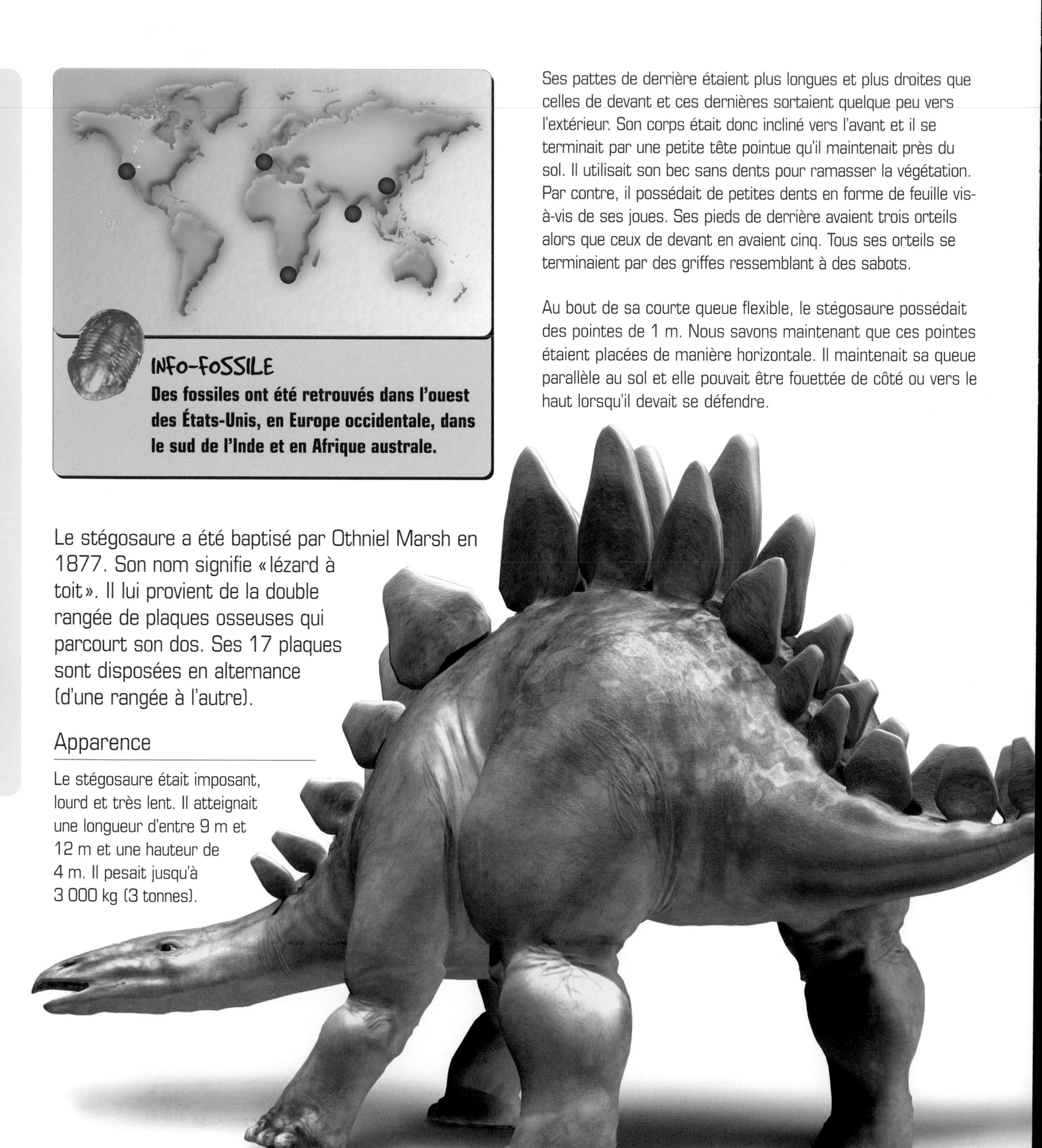

INFO-FOSSILE

Des fossiles ont été retrouvés dans l'ouest des États-Unis, en Europe occidentale, dans le sud de l'Inde et en Afrique australe.

Le stégosaure a été baptisé par Othniel Marsh en 1877. Son nom signifie « lézard à toit ». Il lui provient de la double rangée de plaques osseuses qui parcourt son dos. Ses 17 plaques sont disposées en alternance (d'une rangée à l'autre).

Apparence

Le stégosaure était imposant, lourd et très lent. Il atteignait une longueur d'entre 9 m et 12 m et une hauteur de 4 m. Il pesait jusqu'à 3 000 kg (3 tonnes).

Ses pattes de derrière étaient plus longues et plus droites que celles de devant et ces dernières sortaient quelque peu vers l'extérieur. Son corps était donc incliné vers l'avant et il se terminait par une petite tête pointue qu'il maintenait près du sol. Il utilisait son bec sans dents pour ramasser la végétation. Par contre, il possédait de petites dents en forme de feuille vis-à-vis de ses joues. Ses pieds de derrière avaient trois orteils alors que ceux de devant en avaient cinq. Tous ses orteils se terminaient par des griffes ressemblant à des sabots.

Au bout de sa courte queue flexible, le stégosaure possédait des pointes de 1 m. Nous savons maintenant que ces pointes étaient placées de manière horizontale. Il maintenait sa queue parallèle au sol et elle pouvait être fouettée de côté ou vers le haut lorsqu'il devait se défendre.

Plaques cuirassées

En plus des plaques sur son dos, on a découvert en 1992 que le stégosaure en avait aussi autour de la gorge et des hanches. Cependant, ces dernières étaient en forme de « cottes de mailles ».

Les plaques pointues de son dos étaient originalement considérées comme une armure servant à le protéger des prédateurs. On a par la suite découvert qu'elles étaient plutôt fragiles et mal situées pour le protéger. On a donc pensé que ces pointes servaient peut-être à différencier les mâles des femelles, mais ils en possédaient tous deux.

Pendant longtemps, la théorie la plus populaire était que ces plaques dorsales lui servaient à contrôler la température de son corps. L'hypothèse la plus récente est que les stégosaures se servaient tout simplement de ses plaques pour se reconnaître entre eux.

Le stégosaure vivait en groupes familiaux, peut-être même en hardes. Il était non seulement le plus grand, mais aussi un des derniers des **stégosaures**. Vers la fin du Jurassique, une extinction de masse mineure survint et la plupart des stégosaures sont disparus.

Renseignements

Prononciation :	Stég-ô-zore
Sous-ordre :	Thyréophore
Famille :	Stégosauridé
Description :	Herbivore lourd et lent
Caractéristiques :	Pointes sur le dos et queue à grosses épines
Régime :	Feuilles basses et plantes

MÉGA-INFOS

- **Le stégosaure était presque aussi gros qu'un autobus, mais son cerveau avait la taille d'une balle de ping-pong. Il pesait 71 g.**
- **Le stégosaure le plus complet a été trouvé au Colorado en 1992. Ceux qui l'ont découvert lui ont donné le surnom bien approprié de « Spike ».**
- **Sous ses pieds, le stégosaure possédait des coussinets de tissu spongieux pour lui permettre de supporter son poids.**

Squelette de stégosaure

ANKYLOSAURE

Herbivore cuirassé ressemblant à un tank

INFO-FOSSILE

Des fossiles ont été retrouvés aux États-Unis et au Canada. Le premier spécimen a été découvert en 1906.

Ankylosaure signifie « lézard rigide » ou « lézard soudé ». Il a été nommé ainsi en raison de la fusion de plusieurs de ses os. Cela lui apporte une protection accrue. Ce nom lui a été donné en 1908.

Apparence

L'ankylosaure est le plus grand des dinosaures cuirassés. Il est disparu lors de **l'extinction K-T**, il y a 65 millions d'années. Son armure était impressionnante : son dos, ses côtés et sa queue étaient complètement protégés.

Ses yeux étaient même surmontés de plaques osseuses. En plus de son armure, il possédait des rangées de pointes osseuses sur ses flancs et sur son dos.

Son corps était près du sol et très large. Il bougeait lentement à l'aide de ses quatre solides pattes. Celles de devant étaient plus courtes que celles de derrière. Son crâne presque triangulaire était massif.

Quatre « cornes » se trouvaient à l'arrière de son crâne et elles lui apportaient une protection supplémentaire. Le crâne était lui aussi très épais et il n'y avait de l'espace que pour un petit cerveau. Il possédait aussi un large museau et un bec sans dents pour brouter. Des dents en forme de feuilles se retrouvaient à la hauteur de ses joues pour lui permettre de broyer sa nourriture.

Queue

Le bout de la queue de l'ankylosaure était terminé par une épaisse masse d'os qui était supportée par les dernières vertèbres de sa queue. Ces dernières étaient fusionnées ensemble pour être en mesure de la supporter. D'épais tendons étaient attachés à ces vertèbres. Cela lui permettait de fouetter sa queue assez puissamment pour briser des os.

Permien	Trias	Jurassique	Crétacé
(-290 à -248 millions d'années)	(-248 à -176 millions d'années)	(-176 à -130 millions d'années)	(-130 à -66 millions d'années)

Squelette d'ankylosaure

MÉGA-INFOS

- **En 1996, des empreintes de pas d'ankylosaure ont été trouvées au Brésil. Les estimations de vitesse démontrent qu'il pouvait aller jusqu'à trotter lorsque nécessaire.**
- **L'ankylosaure devait avoir un énorme intestin, qui contenait probablement une chambre de fermentation, pour pouvoir digérer la végétation et il aurait donc produit un nombre important de gaz!**

En désespoir de cause, il pouvait lancer cette masse telle une arme pour se défendre. Il devait aussi s'aplatir au sol lorsqu'il était attaqué et ce, dans le but de protéger les parties vulnérables qui se trouvaient sous son corps. Seules les parties protégées étaient offertes au prédateur.

Structure de l'armure

En 2004, une étude a démontré que l'armure de l'ankylosaure était une structure complexe : des fibres de collagène entrecroisées dans le calcium osseux des plaques formaient des surfaces planes qui s'entrecroisaient de couche en couche. (L'agencement de ces fibres peut encore être vu dans les fossiles après des millions d'années.) Cela donnait à la plaque une grande solidité dans toutes les directions. Ces plaques en « composite » étaient plus minces et plus légères que celles, plus simples et plus fragiles, possédées par les autres dinosaures cuirassés. Les couches de plaques pouvaient résister à un grand niveau de stress, comme celui causé, par exemple, par un fort élan de sa queue.

Renseignements

PRONONCIATION :	AN-KI-LÔ-ZORE
SOUS-ORDRE :	THYRÉOPHORE
FAMILLE :	ANKYLOSAURIDÉ
DESCRIPTION :	HERBIVORE AVEC UNE ARMURE À PLAQUES
CARACTÉRISTIQUES :	QUEUE TERMINÉE PAR UNE MASSE D'OS, DOS ET FLANCS SOLIDEMENT CUIRASSÉS
RÉGIME :	PLANTES PRÈS DU SOL

KENTROSAURE

Lent herbivore à épines

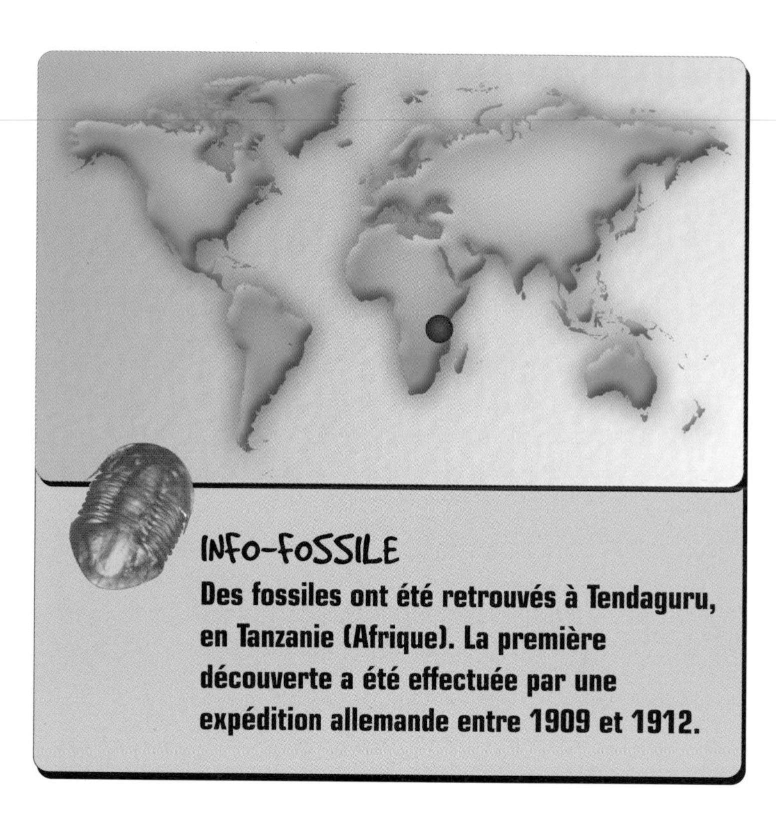

INFO-FOSSILE
Des fossiles ont été retrouvés à Tendaguru, en Tanzanie (Afrique). La première découverte a été effectuée par une expédition allemande entre 1909 et 1912.

Renseignements

PRONONCIATION :	KÈN-TRÔ-ZORE
FAMILLE :	STÉGOSAURIDÉ
DESCRIPTION :	HERBIVORE CUIRASSÉ À ÉPINES
CARACTÉRISTIQUES :	RANGÉES DE LONGUES ÉPINES ACÉRÉES SUR LE BAS DE SON DOS ET SUR SA QUEUE
RÉGIME :	FOUGÈRES ET PLANTES BASSES DES RIVAGES

Kentrosaure signifie « lézard à épine » ou « lézard pointé ». Il a été étudié et baptisé par Edwin Hennig en 1915.

Apparence

Son nom lui provient de la spectaculaire double rangée d'épines osseuses qui couvrait le bas de son dos et toute sa queue. Ces épines étaient presque perpendiculaires à son corps et elles formaient un agencement en zigzag. Chaque épine mesurait environ 30 cm. Au bout de sa puissante queue épaisse, il possédait deux paires d'épines acérées qui avaient une longueur de près de 1 m. Il se défendait des prédateurs en fouettant sa queue comme une arme.

Au-dessus des rangées d'épines, il avait neuf paires de petites plaques osseuses qui couvraient le haut de son dos, ses épaules et son cou. Elles contenaient des vaisseaux sanguins, mais elles étaient trop petites pour lui permettre de contrôler la température de son corps (comme pouvaient le faire les autres dinosaures avec leurs plaques plus grandes). Elles devaient plutôt servir pour parader ou comme moyen de défense. Si elles servaient à parader, elles devaient être de couleurs vives.

Le kentrosaure avait une longueur d'entre 2,5 m et 5 m et une hauteur d'environ 1,8 m. Il portait sa longue et puissante queue plus haut que sa tête, qui était très près du sol.

Régime

Il possédait une petite tête mince qui se terminait par un bec sans dents. À la hauteur de ses joues, il avait de petites dents pour broyer les fougères et les luxuriantes plantes des rivages. La région où ont été découverts les fossiles de kentrosaure devait être située près d'une grande rivière il y a entre 156 et 150 millions d'années. Les scientifiques croient qu'il devait brouter le long des rivières.

Ses pattes de derrière étaient deux fois plus longues que celles de devant. Il pouvait peut-être se tenir sur ses pattes de derrière pour de courtes périodes de temps et ce, afin d'atteindre les feuilles ou les branches situées en hauteur.

Il est presque certain que le kentrosaure se déplaçait et vivait en groupe.

MÉGA-INFOS

- **On a déjà cru que le kentrosaure possédait deux cerveaux! Les scientifiques savent maintenant que le second cerveau n'était qu'un amas de nerfs qui contrôlait sa queue et ses pattes de derrière.**
- **Un squelette presque complet de kentrosaure (un des deux seuls à avoir été découverts) se trouvait anciennement au Musée Humbolt de l'université de Berlin. Cependant, le musée a été bombardé pendant la Seconde Guerre mondiale et presque tous les os ont été perdus.**
- **Ses bulbes olfactifs (la région du cerveau qui contrôle l'odorat) étaient très bien développés. Il possédait donc un excellent odorat.**

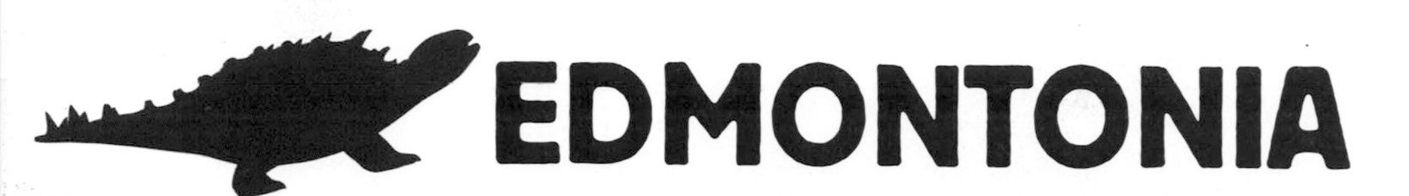

EDMONTONIA

Herbivore cuirassé à épines

Edmontonia signifie « d'Edmonton ». Il a été baptisé ainsi par C. M. Sternberg parce qu'il fut découvert non loin de la formation rocheuse d'Edmonton en Alberta (Canada).

Il était un **ankylosaure**, un type d'**herbivore** à cuirasse qui vivait entre -76 et -68 millions d'années. Il y avait trois groupes principaux d'ankylosaures : les ankylosauridés (comme l'ankylosaure, voir page 58), les polacanthidés et les nodosauridés. L'edmontonia était un nodosauridé.

Il était l'un des plus grands nodosauridés avec sa longueur d'entre 6 m et 7 m. Il pesait environ 3000 kg (3,5 tonnes)

INFO-FOSSILE

Des fossiles ont été retrouvés en Alberta (Canada), au Montana, au Dakota du Sud et au Texas (États-Unis). Le premier spécimen a été découvert par George Paterson en 1924.

et son corps massif était supporté par quatre courtes pattes. Il pouvait atteindre une hauteur d'environ 2 m et il s'aplatissait au sol, lorsqu'il était attaqué, afin de protéger son ventre mou. Même sa queue rigide était cuirassée!

Il possédait des plaques osseuses sur son dos et sur sa tête et des épines sur son dos et sur sa queue. Quatre larges épines couvraient chaque épaule et de petites dents situées à la hauteur de la joue lui permettaient de broyer les plantes avant de les avaler. Sa tête était probablement recouverte d'une cuirasse en écailles pour protéger son cerveau. Deux colliers de plaques osseuses protégeaient le derrière de son cou et de plus petites bandes de plaques allaient jusqu'à sa queue.

MÉGA-INFOS

- **L'edmontonia possédait des muscles spéciaux aux épaules afin de lui permettre de rentrer ses bras vers l'intérieur et de maintenir son corps très près du sol lorsqu'il était attaqué.**
- **Les grandes épines au-dessus de ses épaules devaient surtout servir lors de compétition entre individus de la même espèce.**
- **Il avait des pieds très larges dont il se servait pour marcher dans les régions côtières et marécageuses où il vivait. Ils lui évitaient de s'enfoncer.**
- **L'armure du lent edmontonia n'était pas inutile car il devait partager son territoire avec un certain... tyrannosaure!**

Renseignements

Prononciation :	Èd-mone-tone-i-a
Sous-ordre :	Thyréophore
Famille :	Nodosauridés
Description :	Herbivore ressemblant à un tank
Caractéristiques :	Plaques osseuses et épines pour se protéger
Régime :	Plantes près du sol

SCELIDOSAURE

Lourd herbivore cuirassé

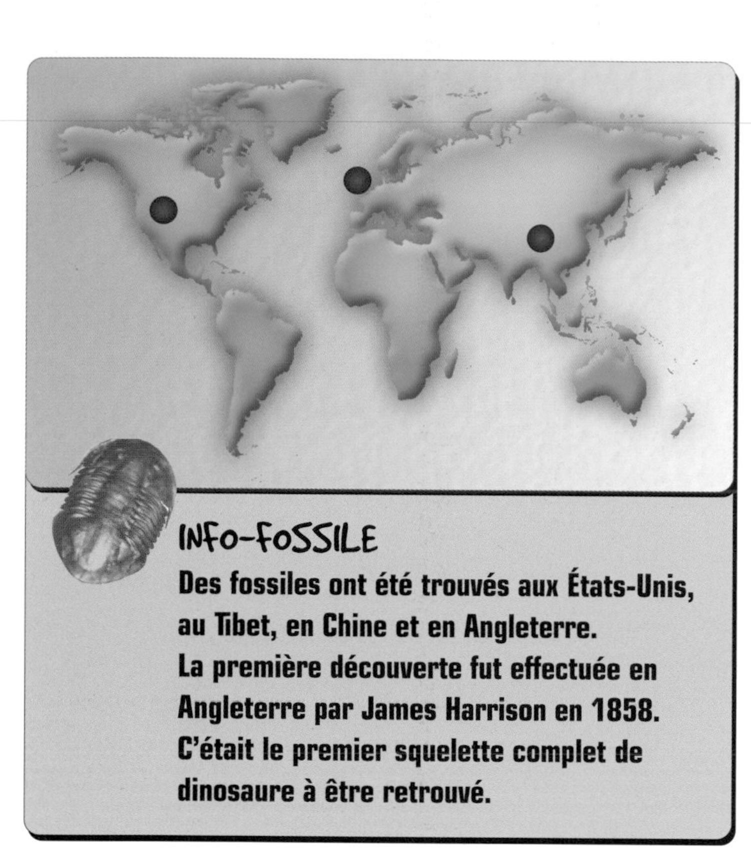

INFO-FOSSILE

Des fossiles ont été trouvés aux États-Unis, au Tibet, en Chine et en Angleterre.
La première découverte fut effectuée en Angleterre par James Harrison en 1858.
C'était le premier squelette complet de dinosaure à être retrouvé.

Scelidosaure signifie « lézard à la jambe remarquable ». Il a été nommé ainsi par Sir Richard Owen en 1859. Il vivait entre -206 et -200 millions d'années.

Scelidosaure

Apparence

Les plaques osseuses de sa peau donnaient au scelidosaure une ressemblance nette avec les futurs **ankylosaures**. Cependant, les plaques osseuses, au bas de son dos, et son corps massif élevé aux hanches le rapprochaient d'autres futurs dinosaures, les **stégosaures** (voir page 56). Les scientifiques croient que ces deux types de dinosaures sont le résultat de l'évolution du scelidosaure. Son cerveau était très petit en comparaison avec sa taille. Cela laisse croire qu'il n'était pas très intelligent.

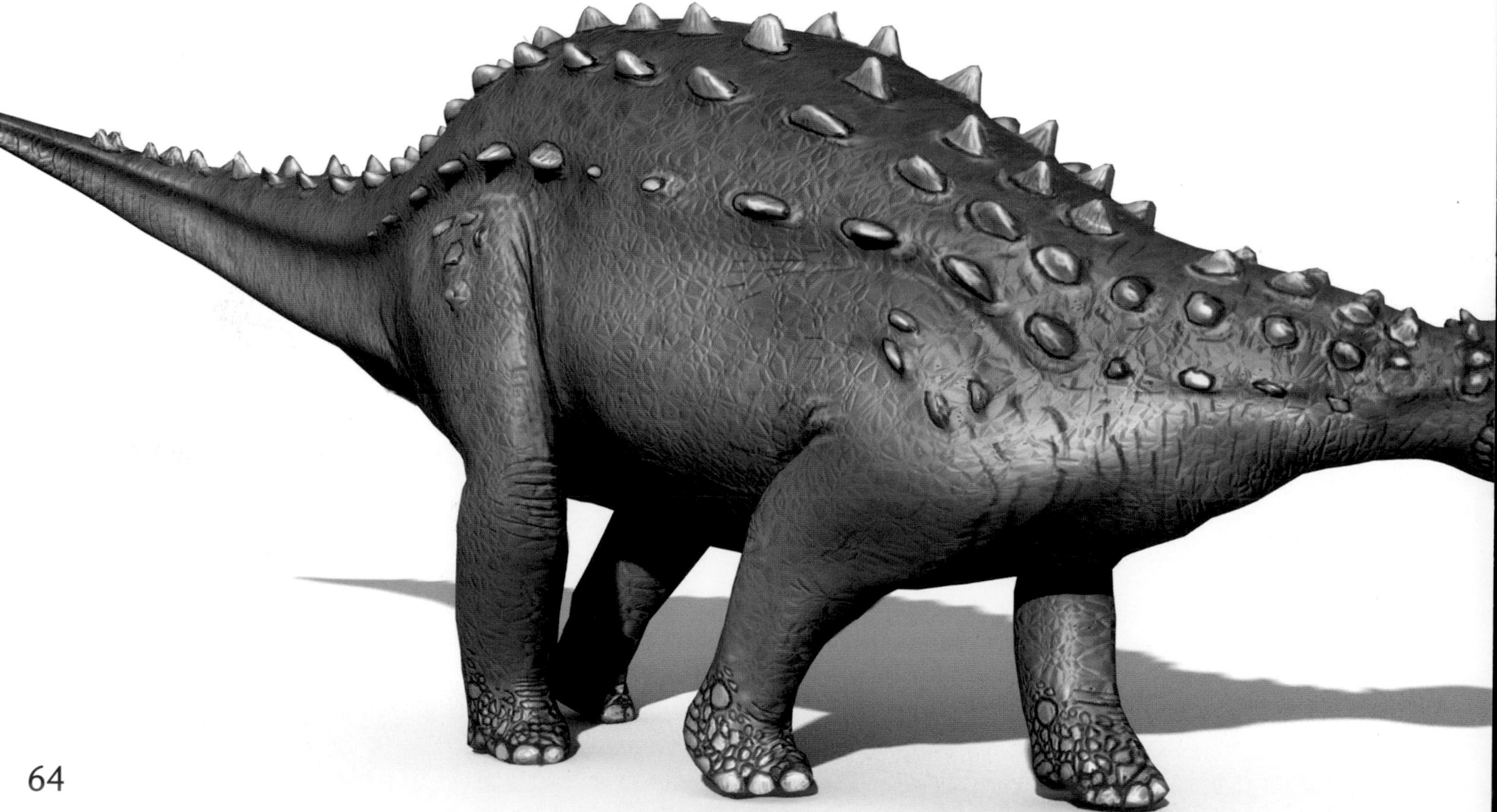

Permien	Trias	Jurassique	Crétacé
(-290 à -248 millions d'années)	(-248 à -176 millions d'années)	(-176 à -130 millions d'années)	(-130 à -66 millions d'années)

Scelidosaurus harrisonii

Le scelidosaure était un herbivore bas avec une petite tête, des pattes courtes et une longue queue rigide. Son cou était assez long comparativement aux autres dinosaures cuirassés. Il pesait entre 200 kg et 250 kg et il pouvait atteindre une hauteur de 1,5 m. Sa longueur était d'environ 4 m.

Il se déplaçait lentement tout en mangeant presque sans arrêt des plantes basses, des fleurs et des fruits. Son bec mince possédait des petites dents en forme de feuilles au haut de sa mâchoire supérieure. Elles servaient surtout à séparer les fleurs et les fruits des plantes. Il pouvait aussi mâcher, mais seulement à l'aide d'un mouvement simple, du haut vers le bas, des mâchoires.

Défense

Les **plaques** qui le protégeaient possédaient des pointes. Des petites cornes à trois branches étaient situées à l'arrière de ses oreilles. En cas d'attaque, il s'aplatissait au sol en cachant son ventre mou et il n'offrait au prédateur que son dos, ses flancs et sa queue, tous bien protégés.

Nous en savons très peu au sujet de son régime et de son habitat. Ses fossiles ont tous été découverts loin de son habitat naturel. Les restes se sont retrouvés dans la mer après la mort des animaux. Ils n'étaient pas des créatures marines ou des amphibiens, mais ils devaient vivre sur les rives. Il se peut que certains se soient noyés lorsqu'une rivière est sortie de son lit. Puis, l'eau les a transportés jusqu'à la mer où ils ont été enterrés et conservés.

Renseignements

Prononciation :	Scèl-i-dô-zore
Sous-ordre :	Thyréophores
Famille :	Scelidosauridés
Description :	Herbivore cuirassé
Caractéristiques :	Cuirasse de plaques osseuses et épines
Régime :	Plantes basses

MÉGA-INFOS

- **On croit que le scelidosaure est l'ancêtre de l'ankylosaure et du stégosaure.**
- **Le scelidosaure a parfois été classifié en tant que stégosaure ou qu'ankylosaure. Les scientifiques ne s'entendent toujours pas à ce sujet.**
- **Même s'il marchait habituellement sur quatre pattes, les chercheurs croient qu'il pouvait courir sur ses pattes de derrière pour de courtes distances. La puissance de ses pattes et la longueur de sa queue expliquent cette hypothèse.**
- **Les petits scelidosaures mangeaient peut-être des insectes pour ajouter des protéines à leur régime.**

SCUTELLOSAURE

Herbivore à petite cuirasse

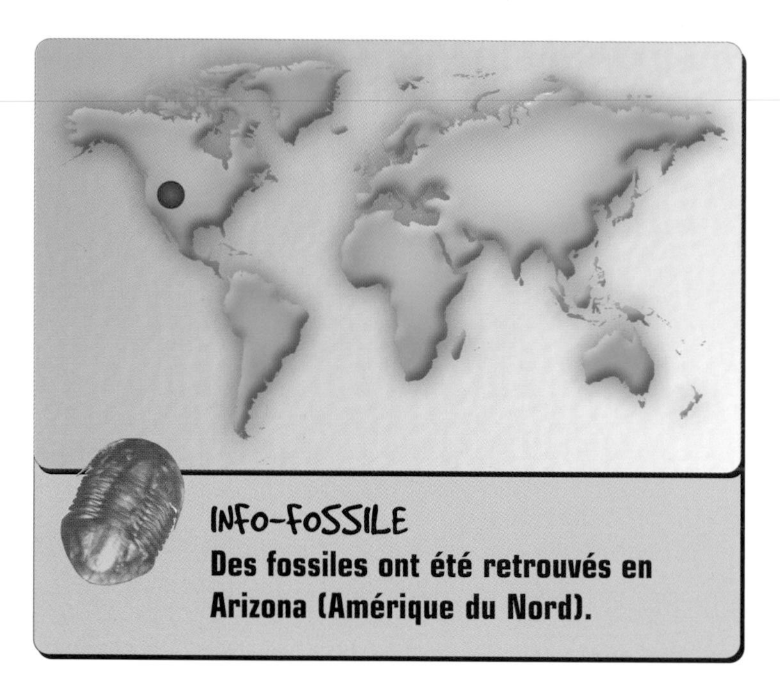

INFO-FOSSILE
Des fossiles ont été retrouvés en Arizona (Amérique du Nord).

Scutellosaure signifie « reptile à écussons ». Son nom lui vient des **plaques** osseuses qui recouvraient son petit corps. Il a été baptisé ainsi par Edwin Colbert en 1981. Deux squelettes incomplets et des centaines de plaques osseuses ont été trouvés en Arizona (États-Unis) et toutes nos connaissances à son sujet proviennent de ces découvertes.

Apparence

Le scutellosaure était un dinosaure primitif. Il est le plus ancien des dinosaures à cuirasse connu et l'on croit qu'il est un parent du **lesothaurus**. Les dinosaures sont souvent associés à des créatures géantes. Le scutellosaure n'était cependant pas plus gros qu'un chien avec sa longueur de 1,2 m, sa hauteur à la hanche de 1,5 m et son poids d'environ 10 kg. Sa longue queue mince constituait la majeure partie de sa longueur. Elle était deux fois plus longue que la combinaison de sa tête et de son corps.

Ses petites pattes de derrière étaient beaucoup plus longues que celles de devant. Les scientifiques croient qu'il devait marcher (et se tenir) la plupart du temps sur quatre pattes, mais qu'il pouvait aussi, lorsqu'attaqué, se déplacer sur ses pattes de derrière et ainsi courir à une bonne vitesse. Sa longue queue lui aurait alors permis de conserver son équilibre. Une créature qui peut se déplacer de ces deux façons est appelée **semi-bipède**. Ses ancêtres auraient été de vrais bipèdes et ses descendants des **quadrupèdes**.

Plaques

Plus de 300 plaques protégeaient cette petite créature. Elles recouvraient son dos et sa queue. Six différents types de plaques ont été retrouvés. Les plus grandes devaient probablement former une ou deux rangées au milieu de son dos.

Régime

Le scutellosaure était un **herbivore** et il passait la majorité de son temps à brouter en utilisant ses simples dents, qui étaient situées à la hauteur de ses joues, pour broyer et couper les plantes basses qu'il consommait. Sa mâchoire était particulièrement bien adaptée pour récolter les plantes feuillues.

Renseignements

PRONONCIATION :	SKU-TÈL-Ô-ZORE
SOUS-ORDRE :	THYRÉOPHORE
DESCRIPTION :	HERBIVORE À PETITE CUIRASSE
CARACTÉRISTIQUES :	LONGUE QUEUE MINCE, PLAQUES OSSEUSES
RÉGIME :	PLANTES, GRAINES ET FRUITS

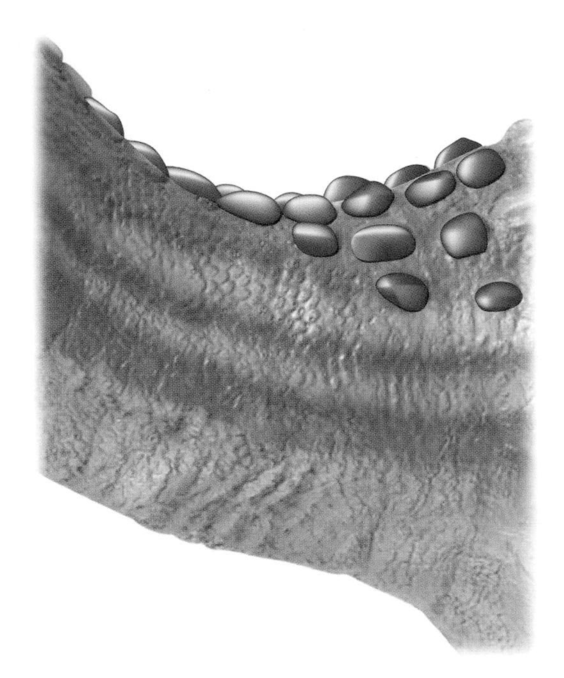

Descendants

Le scutellosaure est probablement l'ancêtre des grands dinosaures à cuirasse comme les **ankylosaures** (voir page 58) et les **stégosaures** (voir page 56). Plusieurs scientifiques croient qu'en développant des plaques osseuses plus lourdes, spécialement dans la région de la tête et du cou, il est devenu plus pesant et ce, surtout à l'avant de son corps. Il est donc devenu dans l'obligation de marcher à quatre pattes et c'est ainsi qu'il a ouvert la voie à ses grands descendants quadrupèdes.

MÉGA-INFOS

- **Le scutellosaure avait deux moyens de défense : sa peau cuirassée et la fuite, qu'il effectuait en courant sur ses pattes de derrière.**
- **Un prédateur tentant de le mordre aurait eu la surprise de sa vie : sa peau était protégée par plus de 300 plaques cuirassées !**
- **Le scutellosaure possédait un court crâne. Par contre, sa queue avait deux fois la longueur de sa tête et de son corps réunis.**

MINMI

Petit herbivore à l'armure spéciale

Ce dinosaure a été étudié et baptisé ainsi par Ralph Molnar en 1980. Son nom lui vient de l'endroit où l'on a retrouvé les premières parties de ses fossiles, Minmi Crossing.

Minmi est le premier dinosaure à cuirasse à être trouvé au sud de l'équateur. Il constitue aussi le squelette de dinosaure le plus complet découvert en Australie.

Apparence

Le minmi semble avoir été une forme primitive d'**ankylosaure** et les scientifiques ont de la difficulté à le classifier. Il possède des caractéristiques communes aux ankylosaures et aux **nodosaures**, mais il n'est pas identique à aucun des deux. Son museau est plus élevé que le reste de son crâne comme chez les nodosaures. Il possédait des plaques cuirassées comme les ankylosaures, mais ses pattes étaient plus longues et il n'avait pas de « masse » au bout de sa queue.

Il devait avoir la taille d'un veau âgé de un an, une longueur d'entre 2m et 3 m, une hauteur de 1 m et un poids d'environ 1 700 kg. Ses pattes de derrière étaient plus longues que celles de devant et il marchait à quatre pattes. Le minmi se nourrissait probablement des plantes basses des plaines d'inondation et des forêts où il vivait.

En plus d'avoir des pattes plus longues que l'ankylosaure, le minmi possédait des plaques osseuses supplémentaires à sa colonne. Elles renforçaient son dos et elles lui permettaient de supporter le poids de sa cuirasse. Des muscles supplémentaires étaient fixés à ces plaques et cela lui donnait la chance de courir à une vitesse raisonnable.

Défense

Le minmi possédait une peau cuirassée avec de grandes plaques osseuses et de petits os (appelés **osselets**) qui s'y intégraient. Même son ventre était protégé par de petites plaques osseuses et cela le rend unique dans le sous-ordre des thyréophores.

Outre son armure, le minmi n'avait aucun moyen de défense : il ne possédait pas de masse osseuse au bout de sa queue comme la plupart des ankylosaures. La fuite constituait probablement sa meilleure défense !

Le minmi était le seul ankylosaure à avoir des « **para-vertèbres** ». Certains scientifiques croient qu'il s'agissait de **tendons** transformés en os plutôt que de véritables os.

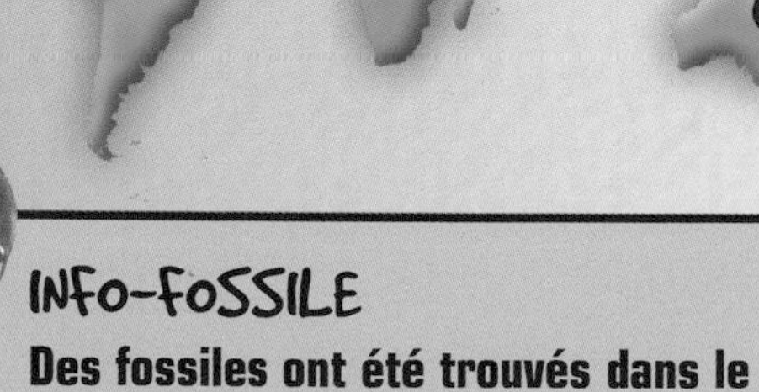

INFO-FOSSILE

Des fossiles ont été trouvés dans le Queensland (Australie). La première découverte fut effectuée en 1964 par Alan Batholomai près de Roma (Queensland).

Squelette de minmi

MÉGA-INFOS

- **En 1990, un squelette de minmi presque complet a été trouvé dans le Queensland. Il était si bien préservé que les plis de sa peau pouvaient être estimés à l'aide du motif de ses osselets.**
- **Minmi est le nom le plus court donné à un dinosaure.**
- **Des études récentes ont permis d'analyser le contenu d'un estomac de minmi. Il pouvait briser sa nourriture en petits morceaux avant de l'avaler.**

Le minmi avait plusieurs choses en commun avec les ankylosaures et les nodosaures, mais il est peut-être tout simplement un nouveau type de dinosaure à cuirasse!

Renseignements

Prononciation :	Min-mi
Sous-ordre :	Thyréophore
Description :	Herbivore à petite cuirasse
Caractéristiques :	Plaques cuirassées au ventre
Régime :	Matières, feuilles, fruits et tiges

LES CRÉATURES À SANG FROID

Tous ne s'entendent pas à ce sujet : les dinosaures étaient-ils des créatures à sang froid ou à sang chaud ? Au départ, ils étaient considérés comme des animaux à sang froid comme leurs ancêtres reptiliens. Cependant, certains **paléontologues** ont avancé que les dinosaures étaient rapides, actifs, qu'ils étaient en compétition avec des mammifères à sang chaud, qu'ils vivaient dans des endroits froids, qu'ils étaient apparentés aux oiseaux et que donc, ils étaient des créatures à sang chaud.

Créatures à sang froid

Les animaux à sang froid, comme les lézards et les serpents, contrôlent la température de leur corps à l'aide de leurs habitudes. Ils s'exposent ou non au soleil durant le jour. Cette méthode est qualifiée d'ectotherme (dont la chaleur provient du milieu).

Créatures à sang chaud

Les animaux à sang chaud (les oiseaux et les mammifères) transforment l'énergie de leur nourriture en chaleur corporelle. C'est la méthode endothermique (qui provoque de la chaleur).

Alligator

Pour se refroidir, les animaux endothermiques suent, halètent, se vautrent dans l'eau ou secouent leurs oreilles pour refroidir leur sang.

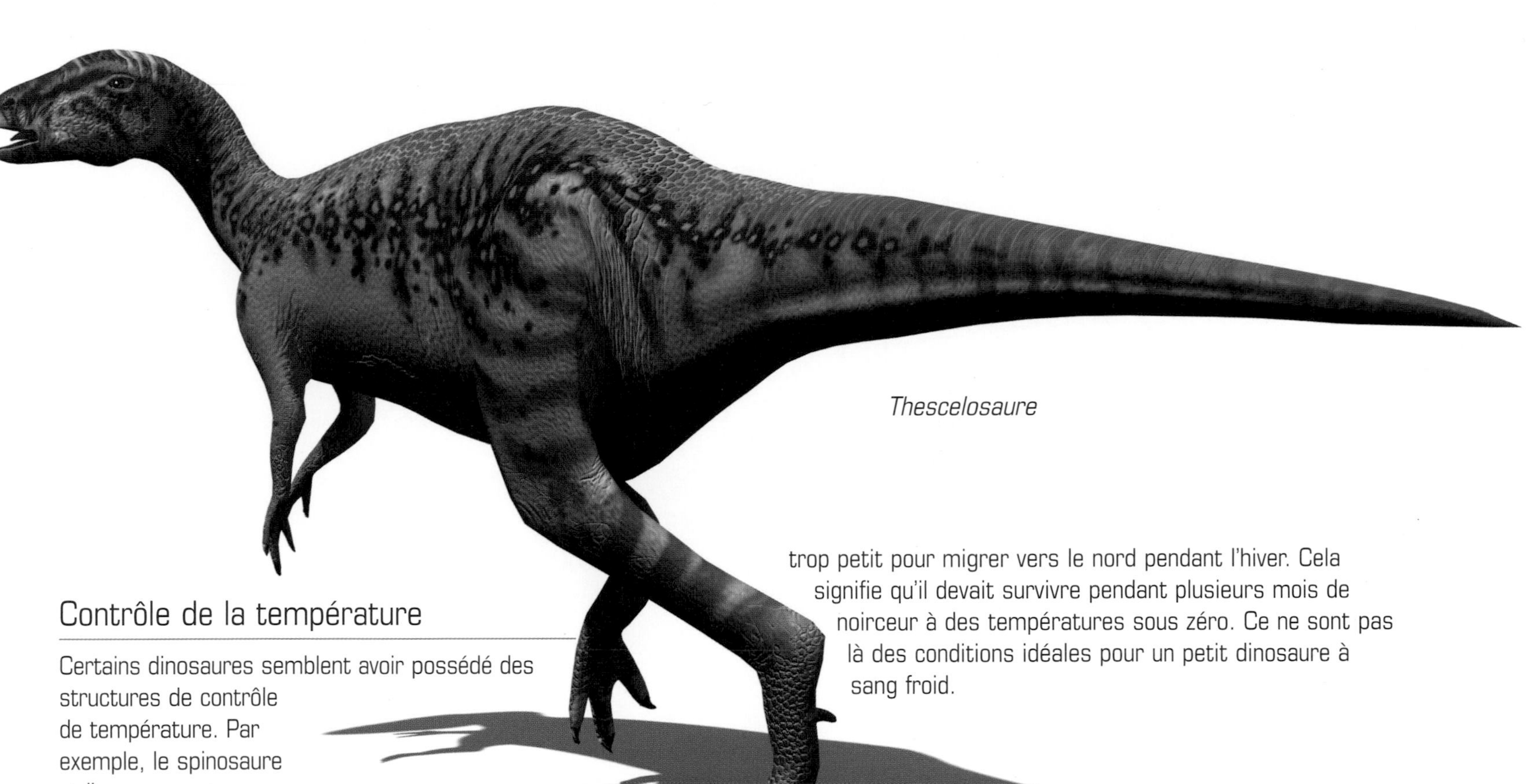

Thescelosaure

Contrôle de la température

Certains dinosaures semblent avoir possédé des structures de contrôle de température. Par exemple, le spinosaure et l'ouranosaure possédaient de larges « voiles » sur leur dos alors que le stégosaure (voir page 56) avait plusieurs plaques. Ces dispositifs étaient probablement utilisés pour recueillir ou évacuer la chaleur. Cela laisse croire que ces dispositifs étaient essentiels afin de leur permettre de contrôler leur température et donc, qu'ils étaient des animaux à sang froid.

Systèmes circulatoires

Le lællynasaura était un petit, mais extraordinaire, dinosaure qui vivait dans les forêts polaires (près du Pôle Sud) au début du Crétacé. Ce qui surprend le plus dans son cas, c'est le fait qu'il vivait à l'intérieur du cercle polaire antarctique et qu'il était trop petit pour migrer vers le nord pendant l'hiver. Cela signifie qu'il devait survivre pendant plusieurs mois de noirceur à des températures sous zéro. Ce ne sont pas là des conditions idéales pour un petit dinosaure à sang froid.

Lællynasaura

Les dinosaures géants ne devaient pas utiliser les mêmes techniques de contrôle de température que les petits, tout comme ils n'avaient pas les mêmes stratégies dans d'autres aspects de leur vie.

Les dinosaures géants comme le tyrannosaure (voir page 24) et l'iguanodon (voir page 86) tenaient leur tête bien au-dessus de leur corps. Pour que le sang se rende à leur cerveau, il aurait fallu une haute pression, beaucoup plus haute que ce que les délicats vaisseaux sanguins de leurs poumons pouvaient endurer. Les animaux à sang chaud contournent ce problème grâce à leurs deux circuits sanguins et à leur cœur divisé intérieurement. Certains scientifiques croient que les dinosaures géants devaient avoir un cœur divisé et que donc, ils étaient des créatures à sang chaud.

Cependant, s'il est vrai que certains dinosaures devaient avoir un cœur divisé pour permettre au sang de se rendre à leur cerveau, ils n'avaient pas à avoir le sang chaud pour autant. Peut-être possédaient-ils le cœur et les poumons d'un animal à sang chaud, mais avec des contrôles de température typiques aux créatures à sang froid. L'alligator moderne est un très bon exemple de cette combinaison.

En 2000, le fossile d'un thescelosaure laissait voir un cœur à quatre chambres ressemblant à celui des mammifères. L'on croyait alors que le cœur des dinosaures n'en avait que trois. Cela laisse penser que le thescelosaure avait le sang chaud et que, peut-être, plusieurs autres dinosaures aussi.

TRICÉRATOPS

Gigantesque herbivore à trois cornes

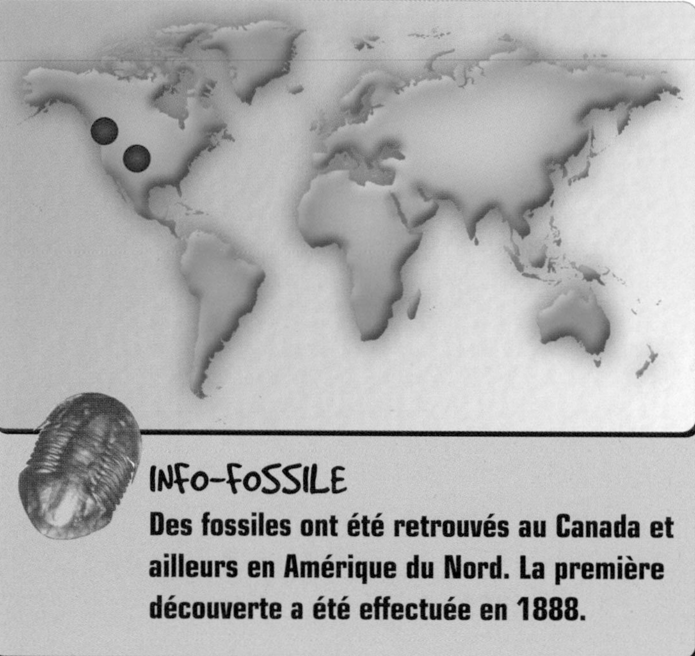

INFO-FOSSILE

Des fossiles ont été retrouvés au Canada et ailleurs en Amérique du Nord. La première découverte a été effectuée en 1888.

Renseignements

PRONONCIATION :	TRI-SÉR-A-TOPS
SOUS-ORDRE :	MARGINOCÉPHALE (TÊTE À FRANGE)
FAMILLE :	CÉRATOPSIDÉS
DESCRIPTION :	ÉNORME ET LOURD HERBIVORE
CARACTÉRISTIQUES :	CRÂNE ÉNORME ET PESANT, TROIS CORNES ET COLLERETTE OSSEUSE AU COU
RÉGIME :	PLANTES ET ARBUSTES

Tricératops signifie « tête à trois cornes ». Les trois cornes qui ornent sa tête en sont évidemment la raison. Son nom scientifique complet est « triceratops horridus », l'horrible tête à trois cornes.

Cornes et collerette

Les trois cornes sont frappantes : une sur son museau et une d'une longueur de 1 m au-dessus de chaque œil. Son autre caractéristique typique est la collerette osseuse, entourée de bosses, qu'il avait à l'arrière du crâne. Les scientifiques ont attribué plusieurs fonctions à cette collerette, mais ils n'en ont pas encore choisi définitivement une. Voici quelques suggestions :

- Pour combattre un tricératops rival au sujet d'un statut, d'un territoire ou de nourriture.
- Pour parader (pour communiquer ou attirer des partenaires).
- Pour servir de points d'ancrage aux énormes muscles de la mâchoire.
- Pour contrôler sa température corporelle (en ajoutant de la surface au corps de l'animal et donc, en facilitant l'absorption de chaleur ou le refroidissement).
- Pour se protéger contre les **carnivores** qui tenteraient de le mordre au cou ou à l'avant de son corps.

Le tricératops était un membre de la famille des **cératopsiens**, les grands dinosaures à cornes qui vivaient en groupe. Ils font partie des dernières familles de dinosaures à avoir évolué.

Apparence

Le tricératops pouvait atteindre une longueur d'environ 9 m, une hauteur de 3 m et un poids de 5 500 kg. Il possédait un bec pointu comme celui du perroquet. Ce dernier lui permettait d'arracher les plantes coriaces avant de les pousser vers l'arrière où se retrouvaient, à la hauteur de ses joues, des dents en cisaille. Il avait de petites pattes courtes et il se déplaçait à quatre pattes. Sa tête était large, presque un tiers de sa longueur totale, et son corps en forme de baril avait une longueur d'entre 2 m et 3 m.

Les dents fossilisées de tricératops sont fréquemment découvertes en Amérique du Nord. Plus de 50 crânes ont aussi été retrouvés. Les scientifiques croient qu'il était l'herbivore dominant de cette région entre -72 et -65 millions d'années.

MÉGA-INFOS

- **On estime que le tricératops pouvait courir à une vitesse de 24 km/h et ce, malgré ses courtes pattes. Une chance, car il devait faire face aux attaques de carnivores tels les tyrannosaures ! Cependant, ce n'était pas toujours suffisant : on a retrouvé plusieurs squelettes de tricératops qui portaient les marques de dents de tyrannosaures.**
- **Il devait utiliser son bec pointu pour arracher la végétation autant que comme moyen de défense.**
- **Le tricératops possédait un des plus grands crânes de tous les animaux terrestres. Il pouvait mesurer jusqu'à 3 m.**
- **Le tricératops est le dinosaure officiel de l'état du Wyoming et le fossile officiel de l'état de Dakota du Sud.**

PROTOCÉRATOPS

Petit herbivore au bec crochu

INFO-FOSSILE

Des fossiles ont été retrouvés en Asie. La première découverte a été effectuée en 1922 par Roy Chapman Andrews dans le désert de Gobi (Mongolie).

Protocératops signifie « première tête cornue » ou « plus ancienne tête cornue ». Il a été baptisé ainsi par Walter Granger et pat W. K. Gregory. Il est aussi connu sous le nom, plus court, de « cératops ».

Apparence

Le protocératops fut l'un des premiers membres de la famille des cératopsiens et il est probablement l'ancêtre des dinosaures à cornes tel le tricératops (voir page 72). Il ne possédait pas de cornes très développées, mais plutôt d'épaisses bosses osseuses sur son museau et de plus petites au-dessus de ses yeux. C'est exactement là que seront situées les cornes des dinosaures qui apparaîtront par la suite. Il avait aussi une large collerette à la hauteur du cou.

Le protocératops était relativement petit. Il pouvait atteindre une longueur de 2 m, une hauteur de 75 cm et un poids de 400 kg. Son squelette était composé d'os épais et forts. Ses quatre courtes pattes se terminaient par des pieds griffus qui lui permettaient peut-être de courir sur de courtes distances lorsque nécessaire. Il était possiblement en mesure de se tenir brièvement sur ses pattes de derrière. Cependant, il se déplaçait ordinairement, avec une démarche lourde et lente, sur ses quatre pattes.

Sa gueule était puissante, incurvée et en forme de bec de perroquet. Sa mâchoire supérieure était plus longue que l'inférieure. Le protocératops pouvait donc couper les plantes coriaces avant de les pousser vers l'arrière de ses mâchoires.

Les dents qui se trouvaient à la hauteur de ses joues l'aidaient ensuite à mâcher.

Crâne et collerette

Le crâne du protocératops était particulièrement massif et il possédait probablement des muscles attachés à sa collerette osseuse pour l'aider à le soutenir. Son crâne composait presque la moitié de toute sa longueur!

Renseignements

PRONONCIATION :	PRÔ-TÔ-CÉR-A-TOPS
SOUS-ORDRE :	MARGINOCÉPHALE
FAMILLE :	PROTOCÉRATOPSIDÉS
DESCRIPTION :	PETIT ET LOURD HERBIVORE À GRAND CRÂNE
CARACTÉRISTIQUES :	CRÂNE MASSIF ET COLLERETTE AU COU
RÉGIME :	PLANTES CORIACES ET VÉGÉTATION DIVERSE

La grande collerette osseuse qu'il avait au-dessus du cou croissait avec le protocératops. Des scientifiques ont avancé plusieurs hypothèses à son sujet. Elle servait peut-être à protéger son cou, à impressionner les autres protocératops ou à fixer les muscles de sa mâchoire. Certains pensent qu'elle était de couleurs vives pour permettre au protocératops d'attirer les partenaires ou d'intimider les ennemis.

Le protocératops vivait probablement en groupe.

MÉGA-INFOS

- **Un modèle robotisé de protocératops a été conçu à l'institut de technologie du Massachusetts (MIT).**
- **En 1971, les restes fossilisés d'un vélociraptor en plein combat avec un protocératops ont été retrouvés en Mongolie.**

MICROCÉRATOPS

Petit herbivore bipède

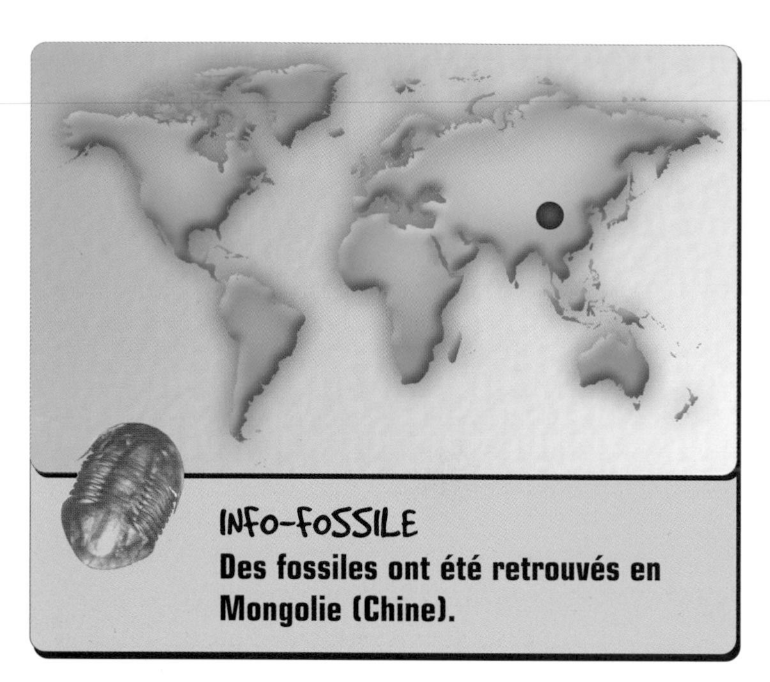

INFO-FOSSILE
Des fossiles ont été retrouvés en Mongolie (Chine).

Microcératops signifie « minuscule face à cornes ». Il a été nommé ainsi en 1953 et il est, à ce jour, le plus petit des dinosaures à cornes.

Ce petit et mince herbivore vivait en Asie il y a 80 millions d'années. Il faisait partie des **cératopsiens** et il est disparu à la fin de la période crétacée.

Apparence

Le microcératops avait une allure fragile en raison de son petit corps et de ses pattes minces. Il était un proche parent des protocératops (voir page 74) et il avait la même forme, mais en beaucoup plus petit.

Il avait une longueur de 76 cm et une hauteur de 60 cm. Voilà un dinosaure que l'on aurait pu saisir d'une seule main.

Sa tête, terminée par un bec semblable à celui du perroquet, mesurait environ 20 cm. Une petite collerette osseuse se trouvait à l'arrière de son crâne. Malgré son nom, il ne possédait pas de vraies cornes. Les scientifiques croient que cette collerette (commune à tous les dinosaures cératopsiens) servait à protéger son cou, à impressionner les autres microcératops ou à fixer les muscles de sa mâchoire.

Certains pensent aussi que sa collerette était de couleurs vives afin de lui permettre d'attirer les partenaires ou d'intimider les ennemis. Cependant, il est peu probable qu'un animal de cette taille puisse avoir intimidé une autre créature. La fuite était possiblement sa meilleure défense.

Ses membres étaient particulièrement minces en comparaison avec celles des autres dinosaures. Ses pattes de derrière, beaucoup plus longues que celles de devant, laissent croire qu'il se tenait sur deux pattes pour se déplacer et courir (donc, qu'il était **bipède**), mais qu'il pouvait aussi se tenir à quatre pattes pour brouter ou chercher de la nourriture.

La partie inférieure de ses pattes de derrière était beaucoup plus longue que la partie supérieure. Cela porte à croire que le microcératops devait être un coureur rapide. Les pattes de devant, ses « bras », étaient plus courtes : l'os de la partie supérieure d'une patte de devant d'un microcératops ne mesurait que 10 cm.

Permien	Trias	Jurassique	Crétacé
(-290 à -248 millions d'années)	(-248 à -176 millions d'années)	(-176 à -130 millions d'années)	(-130 à -66 millions d'années)

Régime

Le microcératops était un herbivore qui passait le plus clair de son temps à se nourrir. Il consommait des **fougères**, des **cycades** et des **conifères**. Son bec, de la même forme que celui du perroquet, lui permettait d'arracher les feuilles ou les épines. Ces dernières étaient ensuite poussées vers l'arrière où des dents, situées à la hauteur de ses joues, les broyaient pour qu'il soit en mesure de les avaler.

Le microcératops vivait probablement en groupe et il se déplaçait constamment, à la recherche de nourriture. Il pondait des œufs et le groupe se partageait une aire de nidification. Cela permettait une défense plus efficace contre les prédateurs.

MÉGA-INFOS

- **Le microcératops faisait partie de la harde dans le film d'animation de Walt Disney intitulé « Le dinosaure » (2000).**
- **Le microcératops n'est pas le plus petit dinosaure connu. C'est plutôt le compsognathus, qui n'avait que la taille d'un poulet.**

Renseignements

Prononciation :	Mi-krô-sér-a-tops
Sous-ordre :	Marginocéphale
Famille :	Protocératopsidés
Description :	Petit herbivore à collerette
Caractéristiques :	Petite taille, longues pattes de derrière et collerette
Régime :	Fougères, cycades et conifères

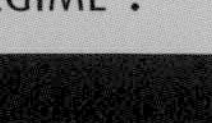

LEPTOCÉRATOPS

Petit herbivore rapide à bec de perroquet

INFO-FOSSILE

Des fossiles ont été retrouvés en Alberta (Canada), au Wyoming (États-Unis) et en Australie. Les premières découvertes remontent à 1914.

Ce petit et agile **cératopsien** a été décrit et nommé ainsi par Barnum Brown en 1914. Aucun squelette complet n'ayant été découvert, nos connaissances à son sujet ne proviennent que de cinq crânes et de quelques os fossilisés.

Apparence

Une étude récente laisse croire que le leptocératops possédait un bec allongé qui constituait la majeure partie de son visage. Il avait peu de dents et elles étaient situées à l'arrière de ses mâchoires. Ses dents différaient de celles des autres cératopsiens car elles ne possédaient qu'une seule racine au lieu de deux. Elles devaient donc être moins bien fixées à sa mâchoire et devenir un problème potentiel lorsqu'il avait affaire à des plantes coriaces. Il pouvait couper les feuilles ou les épines et ouvrir les fruits et les graines à l'aide de son bec acéré, rappelant celui du perroquet.

Le leptocératops ne possédait pas de cornes, mais une collerette osseuse à l'arrière de son crâne formait une protubérance. Cette collerette était petite, plate et distincte.

Le leptocératops est considéré comme un des plus rapides cératopsiens, peut-être même le plus rapide.

Il pouvait atteindre une longueur de 2,4 m. Les scientifiques pensent qu'il se tenait et se déplaçait sur ses pattes de derrière. Ses membres supérieurs se terminaient par des mains griffues à cinq doigts dont il se servait pour saisir sa nourriture. Il était en mesure aussi de se déplacer à quatre pattes. Certains chercheurs croient qu'il se servait de ses puissantes pattes de derrière pour creuser des tanières où il se cachait des prédateurs.

En 1999, les restes de six différents leptocératops ont été retrouvés ensemble dans un « **bone bed** », ce qui laisse croire qu'il vivait peut-être en groupe.

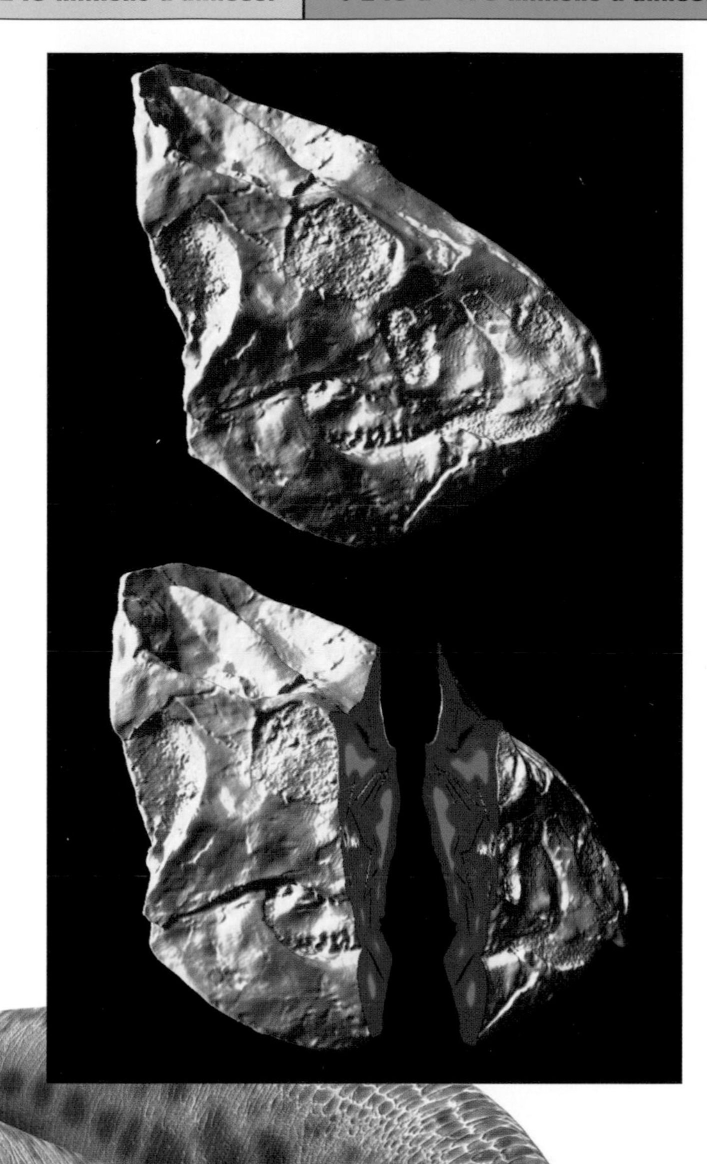

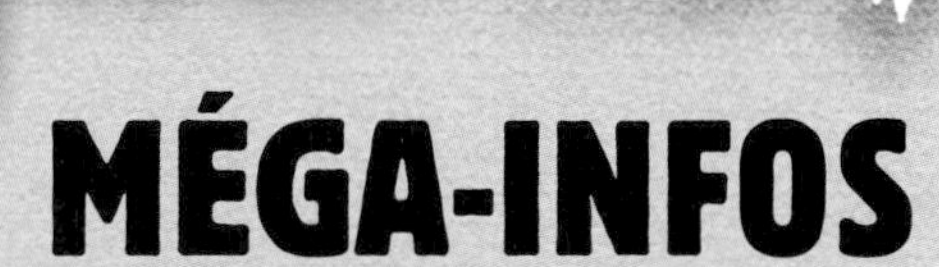

MÉGA-INFOS

- **On croyait jusqu'à tout récemment que le leptocératops n'avait vécu qu'au Canada et en Amérique du Nord, là où tous les fossiles avaient été découverts. Cependant, des os de leptocératops fossilisés viennent d'être trouvés en Australie. On pense maintenant que cet herbivore primitif se retrouvait probablement dans tous les coins de la Terre.**

- **Les fossiles retrouvés en Australie viennent du début de la période crétacée, alors que les autres datent de la fin de cette période. Il est donc probable que le leptocératops fut sur Terre pendant environ 50 millions d'années !**

- **Les dents du leptocératops étaient différentes de celles des autres membres du groupe des cératopsiens. Elles étaient larges au lieu de longues. Cela devait l'aider à mâcher des plantes diverses. Chaque dent pouvait être remplacée une fois alors que la plupart des cératopsiens avaient plusieurs dents prêtes à remplacer celle qui tombait ou se brisait.**

Renseignements

Prononciation :	Lèp-tô-cér-a-tops
Sous-ordre :	Marginocéphale
Famille :	Protocératopidés
Description :	Petit herbivore agile
Caractéristiques :	Petit, collerette plate au cou et bec de perroquet
Régime :	Plantes basses

STYGIMOLOCH

Herbivore à l'allure terrifiante

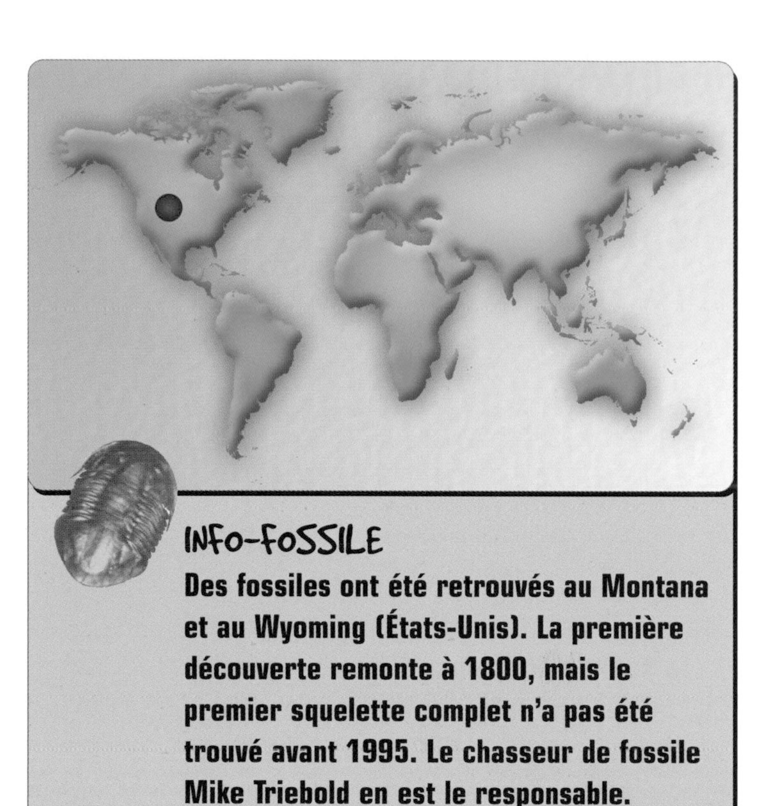

INFO-FOSSILE

Des fossiles ont été retrouvés au Montana et au Wyoming (États-Unis). La première découverte remonte à 1800, mais le premier squelette complet n'a pas été trouvé avant 1995. Le chasseur de fossile Mike Triebold en est le responsable.

Apparence

Le stygimoloch avait un crâne épais et une tête en forme de dôme. Il était un bipède. Ses bras étaient beaucoup plus courts que ses pattes de derrière et ses mains à cinq doigts l'aidaient à saisir les plantes. Il était un

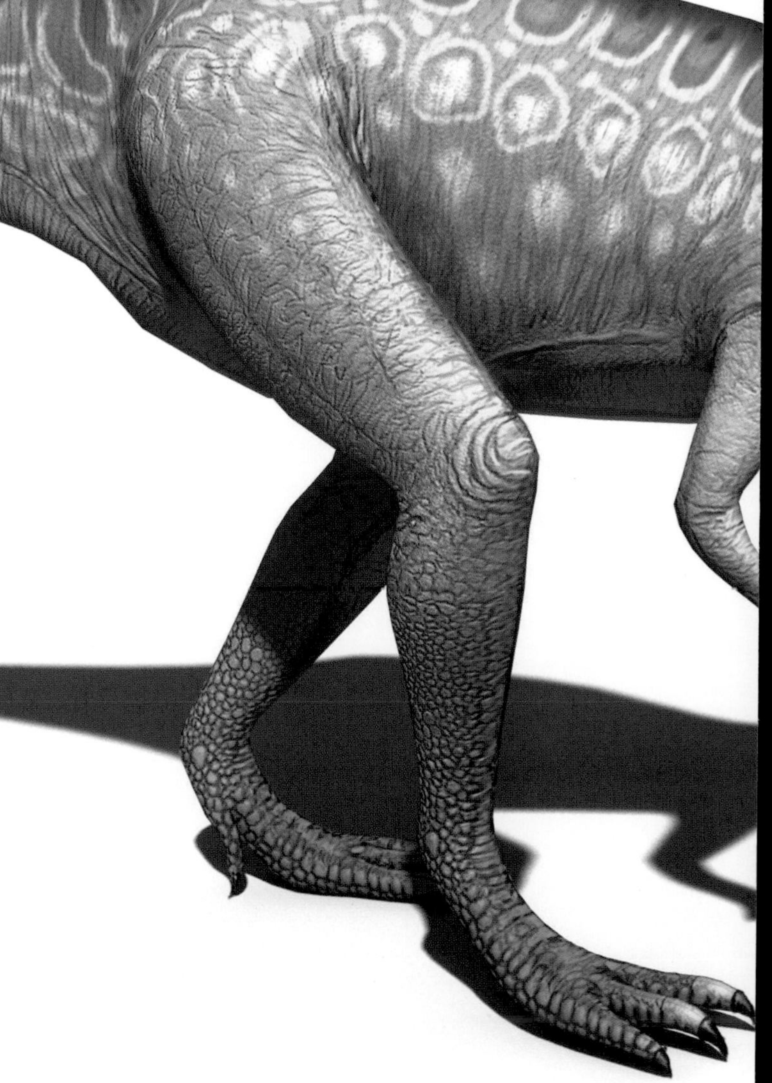

Stygimoloch signifie « diable de la rivière Styx » ou « diable de rivière ». Dans la mythologie grecque, le Styx coulait à travers le monde souterrain (enfer) là où régnait Hadès, le dieu des morts.

Les restes ayant été trouvés dans la formation rocheuse appelée « Hell Creek », le dinosaure a donc été baptisé en l'honneur de la « rivière de l'enfer ». Moloch était un dieu sémitique associé au démon et les cornes du stygimoloch lui donnaient, selon ses découvreurs, une allure démoniaque.

herbivore qui broutait dans les forêts de l'Amérique du Nord entre -74 et -65 millions d'années.

Sa tête ronde était couverte de bosses et d'épines osseuses. Il possédait aussi plusieurs cornes qui pouvaient atteindre 10 cm. C'était un petit dinosaure avec sa longueur d'entre 2 m et 3 m, sa hauteur de 1,2 m et son poids d'environ 100 kg.

En 1995, la découverte d'un squelette complet de stygimoloch est venue remettre en question la vieille croyance que l'on avait à son sujet : que les stygimolochs combattaient en se frappant la tête, comme des béliers, pour s'approprier les femelles ou pour obtenir un statut dans le groupe.

L'on pense maintenant que si le stygimoloch avait agi ainsi, il se serait possiblement brisé le cou! Certains scientifiques croient cependant qu'il frappait peut-être d'autres dinosaures avec sa tête, mais plutôt dans les parties vulnérables et molles. D'autres pensent que ses épines ne servaient qu'à l'identifier parmi les membres de son groupe.

MÉGA-INFOS

- **La première apparition du stygimoloch dans un film remonte à 2000, dans l'œuvre de Disney, « Le dinosaure ».**
- **Il vivait probablement en groupe.**
- **En 2003, Clayton Phipps a découvert le seul crâne complet de stygimoloch. Il est estimé à une valeur entre 150 000 $ et 1 000 000 $. Plusieurs scientifiques s'opposent à la vente et aux encans de fossiles, car les spécimens se retrouvent par la suite dans des collections privées et non dans les musées publics où ils peuvent être plus facilement étudiés.**
- **Les dents situées à l'arrière de sa bouche ressemblent à celles du stégosaure. Le devant de sa bouche était rempli de petites incisives acérées qui rappelaient celles d'un carnivore.**

Renseignements

Prononciation :	Stig-i-mô-lok
Sous-ordre :	Cérapode
Famille :	Pachycéphalosaure
Description :	Petit herbivore à épines
Caractéristiques :	Tête en forme de dôme, cornes et épines
Régime :	Feuilles et plantes

STYRACOSAURE

Herbivore aux cornes spectaculaires

LES DINOSAURES À CORNES

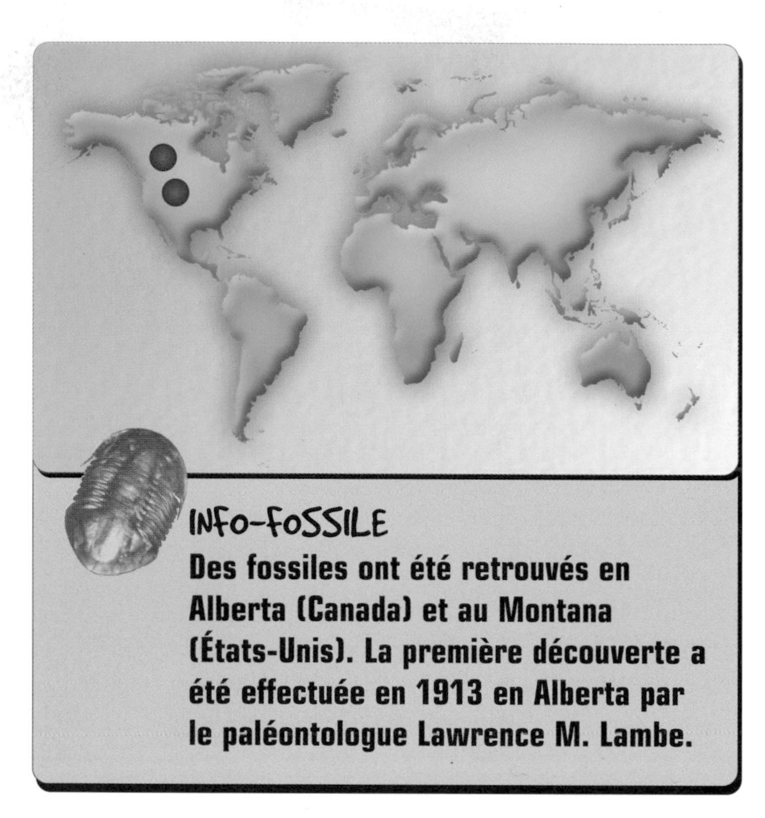

INFO-FOSSILE

Des fossiles ont été retrouvés en Alberta (Canada) et au Montana (États-Unis). La première découverte a été effectuée en 1913 en Alberta par le paléontologue Lawrence M. Lambe.

Styracosaure signifie « lézard épineux ». Il possédait l'agencement de cornes le plus spectaculaire de tout le règne animal : six longues cornes à l'arrière de la collerette osseuse du cou, une petite corne au-dessus de chaque œil et une autre, d'une longueur de 60 cm et d'une largeur de 15 cm, sur son nez !

Apparence

Avec sa longueur de 5,5 m et sa largeur de 2 m, le styracosaure avait à peu près la taille d'un éléphant. Comme ce dernier, sa peau était solide et épaisse.Cela le rendait très coriace face aux prédateurs. Il possédait un large corps massif et il pouvait peser jusqu'à 3 000 kg (3 tonnes). Le styracosaure se déplaçait à l'aide de ses quatre jambes robustes, courtes et puissantes. Contrairement aux autres dinosaures à cornes ou à collerette qui l'avaient précédé, ses pieds à quatre orteils se terminaient par des sabots (au lieu de griffes). Sa tête était massive et sa queue, courte et pointue.

Il possédait un puisant bec en crochet avec des dents situées à la hauteur de ses joues pour lui permettre de déchirer et de mâcher les feuilles coriaces des plantes basses dont il se nourrissait. Comme les autres cératopsiens, il avait de grandes ouvertures nasales dans son museau profond. Personne ne connaît exactement l'utilité de ces ouvertures.

Permien	Trias	Jurassique	Crétacé
(-290 à -248 millions d'années)	(-248 à -176 millions d'années)	(-176 à -130 millions d'années)	(-130 à -66 millions d'années)

Le styracosaure vivait probablement en groupes qui se déplaçaient lentement sur leur territoire pour manger et protéger leurs petits après l'éclosion des œufs. De grands dépôts d'os fossilisés (dont un qui contenait 100 fossiles de styracosaures !) ont été retrouvés.

MÉGA-INFOS

- **Le styracosaure était un ancêtre du tricératops** **(voir page 72).**
- **Malgré sa constitution, le styracosaure pouvait probablement courir à une vitesse de 32 km/h lorsque nécessaire ! C'est presque la vitesse permise pour une automobile dans les rues où vous vivez.**
- **Un styracosaure apparaissait dans le film de 1969, *La vallée de Gwangi*. Il y était cependant faussement représenté comme un terrifiant prédateur. En 2000, il jouait un rôle plus tranquille dans le film de Walt Disney, *Le dinosaure*.**
- **En mai 2006, le styracosaure a fait son apparition dans le rayon des jouets du célèbre magasin *Harrods*. Travaillant à temps plein pendant sept semaines, deux constructeurs ont créé un remarquable modèle de 375 kg en *LEGO* du dinosaure. Ils ont utilisé 180 000 blocs *LEGO* pour atteindre leur but ! 506 heures de travail ont été nécessaires et le résultat est spectaculaire. De plus, le modèle peut faire entendre son rugissement aux passants depuis son abri, où l'on retrouve des palmiers et des bruits de fond des forêts tropicales.**

Renseignements

Prononciation :	Sti-rak-ô-zore
Sous-ordre :	Marginocéphale
Famille :	Cératopsidés
Description :	Herbivore à cornes et à collerette
Caractéristiques :	Cornes spectaculaires, collerette au cou et bec
Régime :	Plantes basses

ŒUFS ET CYCLE DE VIE

Œufs

Les dinosaures provenaient d'œufs pondus par les femelles. Les œufs de dinosaures avaient des tailles et des formes différentes. Ils pouvaient avoir une longueur allant jusqu'à 60 cm. Même les plus grands dinosaures pondaient de petits œufs et ce, car l'œuf devait être assez mince pour laisser entrer l'oxygène et pour permettre au bébé d'en sortir. Les œufs étaient similaires à ceux des reptiles, des oiseaux et des mammifères primitifs. Ils contenaient une **membrane** (appelée amnios) qui gardait l'embryon humide.

Les premiers fossiles d'œufs de dinosaures trouvés (les plus gros découverts à ce jour) avaient la forme d'un ballon de football et ils appartenaient à l'hypsélosaure, un membre de la famille des titanosaures. Ils ont été découverts en France en 1869. Ces œufs avaient une longueur de 30 cm, un volume d'environ 2 l et in poids pouvant aller jusqu'à 7 kg.

Vie de famille

Jusqu'à récemment, la seule preuve de vie de famille chez les dinosaures consistait en quelques nids avec des œufs.

Traces fossilisées

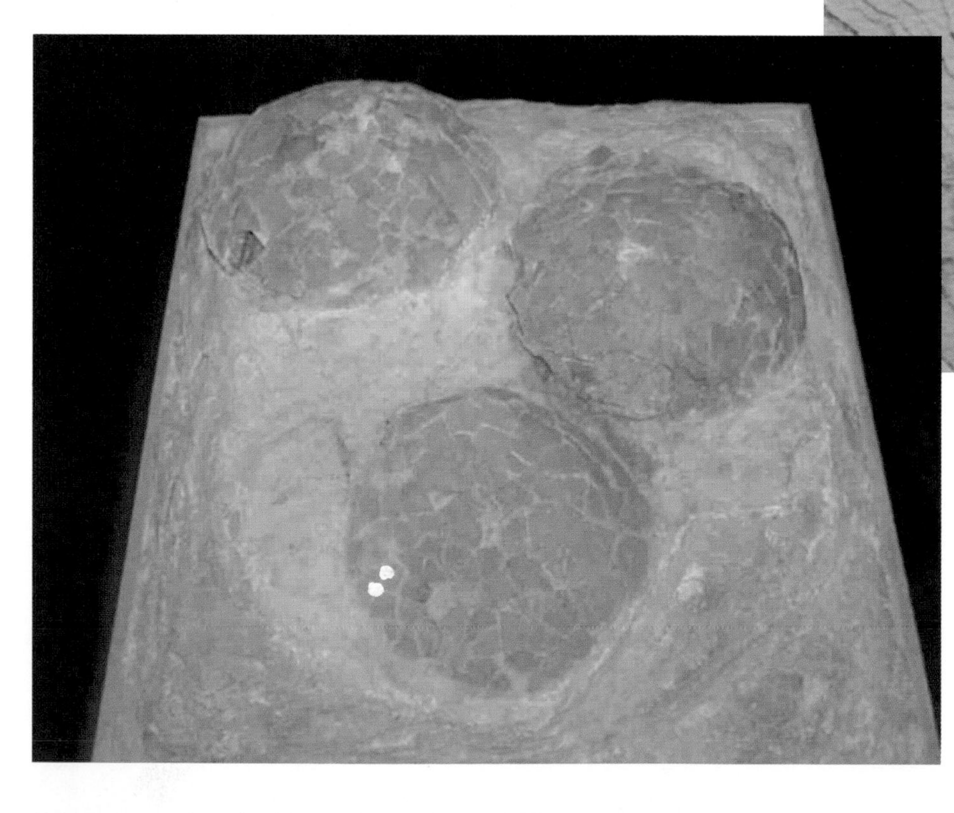

Œufs d'hypsélosaure fossilisés

Découverts dans le désert de Gobi en 1920, le contour des nids laissait voir des traces qui montraient que des adultes et des bébés se déplaçaient ensemble. Nous en savons très peu au sujet de leurs parades nuptiales, de leurs rivalités et de leurs accouplements.

Plus de 200 sites contenant des œufs de dinosaures sont maintenant connus à travers le monde. La plus récente découverte, effectuée en France en 1999, consistait en dix gros œufs de dinosaures (ainsi que trois empreintes d'œufs). De plus gros sites ont été trouvés en Espagne, des centaines de milliers d'œufs (appartenant à des **sauropodes** et à des **théropodes**) y ont été retrouvés. Il y a aussi d'autres sites en Argentine et en Chine.

Très rarement, une partie d'embryon se trouve encore dans l'œuf. Cela permet d'identifier de que espèce de dinosaure il provient.

Dans une région des États-Unis, on a découvert des nids, des œufs, des larves, des jeunes et des adultes appartenant au maïasaura (voir page 100). Ces fossiles prouvent l'existence de soins parentaux et de sociabilité.

Certains dinosaures protégeaient leurs œufs alors que d'autres les pondaient puis les abandonnaient. On croit que les comportements relatifs à la nidification chez les dinosaures étaient très semblables aux deux types démontrés par les oiseaux modernes : les nidifuges, où les bébés quittent le nid dès l'éclosion et les nidicoles, où les petits sans défense restent dans le nid. Les dinosaures semblaient aussi avoir un instinct de « homing », comme les hirondelles et les pigeons, qui les ramenait se reproduire dans les mêmes endroits année après année.

Squelette de dinosaure

Œufs de maïasaura

Reproduction

Une des nombreuses questions sans réponse au sujet des dinosaures est celle qui concerne la reproduction chez les sauropodes géants comme l'apatosaure (voir page 46), le diplodocus (voir page 44) et le brachiosaure (voir page 40). Comment faisaient-ils pour pondre leurs œufs sans les casser? Même si le sauropode écartait ses jambes en se rapprochant du sol, ses œufs auraient tout de même effectué une chute d'environ 2,5 m. Certains scientifiques croient que les femelles possédaient un tube qui sortait de leur corps en s'étirant et par lequel sortaient les œufs (les tortues modernes ont ce type de tube).

IGUANODON

Herbivore avec éperons aux pouces

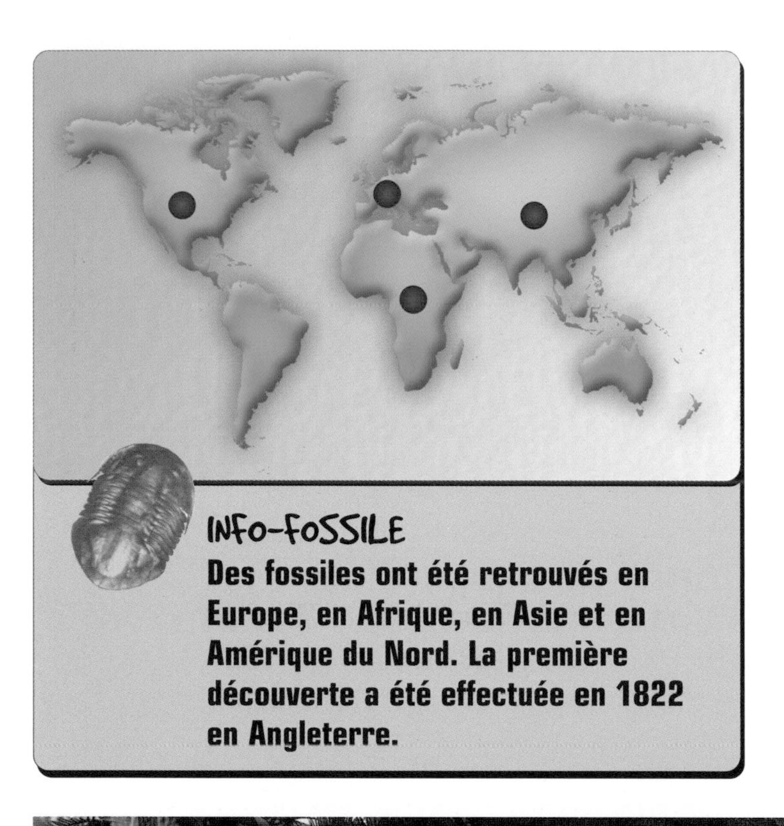

INFO-FOSSILE

Des fossiles ont été retrouvés en Europe, en Afrique, en Asie et en Amérique du Nord. La première découverte a été effectuée en 1822 en Angleterre.

Renseignements

PRONONCIATION :	IG-WAN-Ô-DON
SOUS-ORDRE :	ORNITHOPODE
FAMILLE :	IGUANODONTIDÉ
DESCRIPTION :	HERBIVORE
CARACTÉRISTIQUES :	MAINS SPÉCIALISÉES, BEC DE PERROQUET
RÉGIME :	CYCADES, CONIFÈRES, FOUGÈRES ET PRÊLES

Iguanodon signifie « dent d'iguane ». Il a été nommé ainsi en 1825. Les premiers restes d'iguanodon trouvés étaient des dents et elles étaient très semblables à celles de l'iguane, mais vingt fois plus grandes !

L'iguanodon fut le deuxième dinosaure, après le mégalosaure (voir page 36), à avoir obtenu un nom.

Apparence

L'iguanodon avait un corps massif, une queue plate et rigide et un museau qui se terminait un bec corné. Il pouvait atteindre une longueur de 10 m, une hauteur de 5 m et une hauteur à la hanche de 2,78 m. Il pesait environ 5 000 kg (5 tonnes).

Son bec corné ne comportait aucune dent, mais il en possédait à la hauteur des joues. Ses dents mesuraient environ 5 cm.

Il utilisait son bec pour recueillir les feuilles des arbres et des plantes, puis il poussait sa nourriture vers l'arrière où ses dents la broyaient. L'iguanodon, contrairement à la plupart des reptiles, pouvait mâcher sa nourriture. Sa mâchoire à charnières spéciales lui permettait un mouvement latéral où les dents du haut frottaient sur celles du bas.

Les pattes de devant de l'iguanodon étaient très spéciales et elles pouvaient être utilisées pour agripper ou pour marcher. Ses trois doigts du milieu étaient reliés entre eux (les scientifiques ne savent pas s'il s'agissait de palmes ou de coussinets). Son petit doigt était indépendant et il pouvait se plier et agripper des objets. Son pouce était très inusité car il était constitué d'un éperon acéré mesurant entre 5 cm et 15 cm. L'utilité de cet éperon n'est pas claire : il servait peut-être à ramasser et à tenir sa nourriture ou, plus probablement, à se défendre.

Des empreintes de pieds démontrent que l'iguanodon marchait à quatre pattes. Cependant, certains scientifiques croient qu'il ne le faisait que pour brouter et qu'il se déplaçait généralement sur deux pattes. Ses robustes pattes de derrière en forme de piliers étaient beaucoup plus longues que ses minces pattes de devant. Le pied arrière ne possédait que trois orteils. Les chercheurs pensent tous qu'il pouvait se tenir sur deux pattes pour atteindre les feuilles élevées ou pour se sauver. Il atteignait probablement une vitesse d'entre 15 km/h et 20 km/h !

Un « **bone bed** » renfermait une douzaine de squelettes d'iguanodon, près l'un de l'autre. On a donc conclu que c'était un animal qui vivait en groupe.

MÉGA-INFOS

- **On a d'abord cru que l'éperon acéré qui tenait lieu de pouce à l'iguanodon était une corne située au-dessus de son nez.**
- **Des os d'iguanodon ont été trouvés dans toutes les parties du monde.**
- **Un iguanodon apparaît sur les armoiries de la ville anglaise de Maidstone, près de laquelle l'on a retrouvé de ses fossiles.**

AGRICULTURE AND COMMERCE

Empreinte de pied d'iguanodon

GALLIMIMUS

Rapide dinosaure ressemblant à un oiseau

LES DINOSAURES À PIEDS D'OISEAUX

INFO-FOSSILE

Des fossiles ont été trouvés en Asie. La première découverte remonte au début des années 1970.

Gallimimus signifie « imitateur de poulet » ou « imitateur de coq ». Il a été baptisé ainsi en 1972 parce qu'il ressemblait à un grand oiseau.

Apparence

Il pouvait atteindre une longueur d'entre 4 m et 6 m. Il possédait un long cou, une tête ronde et un long bec sans dents, mince et proéminent. La partie de ce bec qui était située à l'avant et en dessous avait la forme d'une pelle. Son cerveau était assez gros en comparaison avec le reste de son corps, ce qui en faisait un des dinosaures les plus intelligents. Ses yeux étaient situés de chaque côté de sa tête. Cela lui enlevait donc toute chance d'avoir une perception de la profondeur.

Le gallimimus possédait des os creux, mais il pesait tout de même entre 400 kg et 500 kg. Sa longue queue lui permettait de maintenir son équilibre lorsqu'il courait à l'aide de ses puissantes pattes de derrière.

Régime

Le gallimimus était un proche parent des dinosaures carnivores tel le tyrannosaure (voir page 24). Jusqu'à récemment, l'on croyait qu'il se nourrissait de petits animaux (comme les lézards) et qu'il utilisait son bec pour briser les œufs des autres dinosaures. En 2001, un fossile a été trouvé et on pouvait y apercevoir les structures spéciales, en forme de peigne, qui meublaient l'intérieur de sa bouche. Elles ressemblaient à celles que l'on retrouve chez les canards et dont ils se servent pour « filtrer » les particules de nourriture présentes dans l'eau.

Donc, le régime du gallimimus a été vu de manière différente. De plus, en raison de la faiblesse des muscles de sa mâchoire, les scientifiques ont supposé qu'il devait se nourrir d'œufs de dinosaures ou de faibles proies. Les chercheurs croient maintenant qu'il n'utilisait pas son bec pour tuer ses proies.

MÉGA-INFOS

- **Le gallimimus pouvait probablement courir à une vitesse de 70 km/h ! Cela en fait le plus rapide dinosaure de tous les temps.**
- **Contrairement aux « dinosaures-autruches » qui l'avaient précédé, le gallimimus ne possédait pas de dents.**
- **Nous ne savons pas encore s'il vivait seul ou en groupe.**

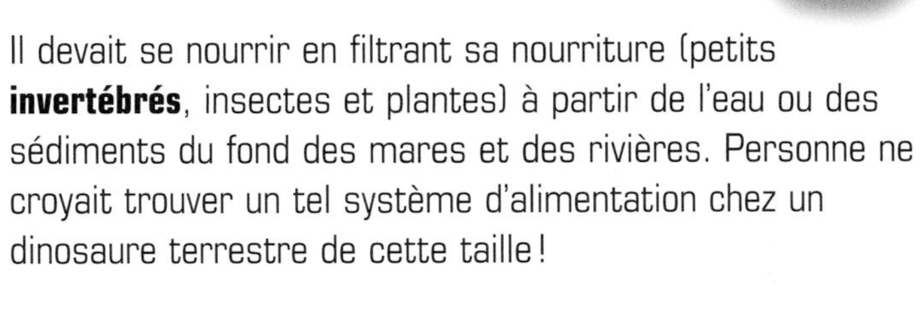

Il devait se nourrir en filtrant sa nourriture (petits **invertébrés**, insectes et plantes) à partir de l'eau ou des sédiments du fond des mares et des rivières. Personne ne croyait trouver un tel système d'alimentation chez un dinosaure terrestre de cette taille !

Cependant, tout cela est plus plausible lorsque l'on sait que ses fossiles ont été trouvés dans des roches qui provenaient d'endroits recouverts d'eau à l'époque à laquelle il vivait. Cela expliquerait aussi la forme de « pelle » du bas de son bec.

Renseignements

PRONONCIATION :	GAL-I-MIM-USSE
SOUS-ORDRE :	THÉROPODE
FAMILLE :	ORNITHOMIMIDÉ
DESCRIPTION :	OMNIVORE RESSEMBLANT À L'AUTRUCHE
CARACTÉRISTIQUES :	LONGUES PATTES, PETITE TÊTE, COU FLEXIBLE ET BEC PROÉMINENT
RÉGIME :	PROBABLEMENT DES INSECTES, DES LÉZARDS, DES ŒUFS, DES PLANTES OU DES PARTICULES DE NOURRITURES PRÉSENTES DANS L'EAU OU LA BOUE

DRINKER

Petit bipède herbivore

INFO-FOSSILE
Des fossiles ont été trouvés aux États-Unis.

Renseignements

PRONONCIATION :	DRINK-EUR
SOUS-ORDRE :	ORNITHOPODE
FAMILLE :	HYPSILOPHODONTIDÉ
DESCRIPTION :	PETIT BIPÈDE HERBIVORE
CARACTÉRISTIQUES :	QUEUE FLEXIBLE
RÉGIME :	PLANTES ET VÉGÉTATION DES MARÉCAGES

Le drinker a été nommé ainsi en l'honneur de l'expert en dinosaures Edward Drinker Cope, qui a vécu entre 1840 et 1897.

Trois squelettes partiels de drinker ont été retrouvés. Ils appartenaient à un adulte, à un pré-adulte (ou immature) et à un jeune. Il a donc été possible d'analyser le dinosaure à des stades divers de sa vie.

Le drinker était un petit dinosaure qui avait une longueur de 2 m, une hauteur de 1 m et un poids de seulement 25 kg. Il était un **bipède**, avait une queue flexible et il mangeait des plantes.

Des restes de drinker ont été trouvés près de ceux de dents de dipneustes et là où il y avait des marécages. On pense donc qu'il vivait dans les régions marécageuses qui entouraient les lacs. Sa petite taille devait l'aider à se promener à travers les forêts et les marais tout en se cachant des grands prédateurs comme l'allosaure (voir page 34).

Drinker

Edward Drinker Cope et la Guerre des os

Edward Drinker Cope (1840-1897)

Cope s'est servi de sa richesse pour poursuivre sa quête d'os de dinosaures. Son grand rival était un autre **paléontologue** du nom de Othniel Charles Marsh. Les deux furent d'abord amis. Cependant, en 1868, Cope s'est aperçu que Marsh avait soudoyé les propriétaires d'une carrière pour qu'ils lui envoient les os trouvés au lieu de les envoyer à Cope, comme ils le faisaient auparavant. La rivalité qui en est découlée, et qui a duré presque 30 ans, a été baptisée la Guerre des os.

La rivalité s'est envenimée lorsque Marsh a annoncé que Cope avait placé la tête de son modèle d'élasmosaure au bout de la queue du squelette. Marsh s'est assuré que cette erreur ne passe pas inaperçue. L'année suivante, Cope a répliqué en engageant un des assistants de Marsh et en faisant des recherches dans l'un des sites d'excavation de ce dernier au Kansas.

Tout cela s'est transformé en une compétition personnelle : lequel allait trouver le plus de nouvelles espèces et découvrir le plus de fossiles. Les deux scientifiques ne travaillaient que peu sur les sites d'excavation. Ils préféraient payer d'autres chercheurs pour faire le travail. Cope s'est permis de voler un train rempli de fossiles appartenant à Marsh et ce dernier a fait exploser un de ses sites pour empêcher Cope d'y effectuer des recherches.

La Guerre des os s'est étirée jusqu'à la mort de Cope en 1897. À l'époque où Marsh et Cope ont commencé leurs travaux, on ne connaissait que 18 espèces de dinosaures en Amérique. Ils ont aidé à porter ce nombre à plus de 150.

MÉGA-INFOS

- **Le drinker vivait peut-être dans des tanières. Contrairement à la majorité des dinosaures, sa queue était flexible et il aurait pu la replier pour pouvoir entrer dans sa tanière.**
- **Le drinker avait de grands pieds qui lui permettaient de se déplacer rapidement et silencieusement.**

Othniel C. Marsh (1831-1899)

LEÆLLYNASAURA

Herbivore de l'Antarctique à la vision perçante

INFO-FOSSILE
Des fossiles ont été trouvés en Australie. La première découverte remonte à 1989.

Renseignements

PRONONCIATION :	LÈ-A-ÈL-LIN-A-ZOR-A
SOUS-ORDRE :	ORNITHOPODE
FAMILLE :	HYPSILOPHODONTIDÉ
DESCRIPTION :	PETIT HERBIVORE BIPÈDE
CARACTÉRISTIQUES :	ÉNORMES YEUX, GROS CERVEAU ET LONGUES PATTES DE DERRIÈRE
RÉGIME :	FOUGÈRES, MOUSSES, PRÊLES ET FEUILLES

Leaellynasaura signifie « lézard de Leællyn ». Il a été nommé ainsi en 1989. Tout comme le maïasaura, son nom se finit par la terminaison grecque féminine « saura » au lieu de « saurus ».

Ce petit **herbivore** a d'abord été découvert en Australie. À la fin de la période crétacée, les continents n'avaient pas du tout la même configuration qu'aujourd'hui. Une partie de l'Australie se trouvait alors à l'intérieur du cercle antarctique et presque au Pôle Sud !

Aucun reptile ne pourrait aujourd'hui y vivre, mais le leællynasaura semblait bien s'y porter. Même si cet endroit comportait à l'époque des forêts et que les journées devaient y être assez chaudes, les nuits devaient être longues et froides. Le leællynasaura devait être en mesure de vivre sans soleil pendant des semaines, voire des mois !

Les scientifiques croient que le leællynasaura vivait en groupe et qu'il se serrait probablement les uns contre les autres pour se réchauffer. Le fait qu'il ait été capable de survivre au froid et à la noirceur antarctique amène certains chercheurs à penser qu'il était peut-être une créature à sang chaud.

Apparence

Un leællynasaura adulte avait une longueur d'environ 2,5 m et une hauteur à la hanche de seulement 50 cm. Il pesait environ 10 kg. Il se tenait sur ses pattes de derrière (c'était donc un **bipède**) et il possédait une longue queue. Ses pattes de derrière étaient longues et puissantes, tout comme ses pieds. Ses membres supérieurs (ses bras) étaient beaucoup plus courts et ils se terminaient par des mains.

Le cerveau, d'une longueur de 17 cm, du leællynasaura laisse voir qu'il possédait d'énormes yeux. On voyait aussi de larges trous là où les nerfs optiques étaient attachés au cerveau.

Les scientifiques croient que le leællynasaura avait une excellente vision et ce, pour être en mesure de voir dans la noirceur des hivers antarctiques.

Régime

Le leællynasaura avait un solide bec corné. Il se nourrissait probablement de **prêles**, de mousses et de **fougères** qui poussaient sur le sol des forêts antarctiques. On devait aussi y retrouver des **conifères** et du **ginkgo**. Il se peut qu'il grimpait aux arbres afin d'en atteindre les feuilles. Il utilisait son bec pour arracher les feuilles avant de les pousser vers l'arrière de sa bouche, là où ses dents les broyaient.

MÉGA-INFOS

- **Grâce à l'analyse de son crâne, nous savons que le leællynasaura possédait un gros cerveau en comparaison avec la taille de son corps. C'était un dinosaure intelligent.**
- **Certains scientifiques croient que le leællynasaura pouvait survivre aux noires journées antarctiques en hibernant, tout comme les tortues.**
- **Le leællynasaura construisait des nids au sol pour pondre ses œufs. Une larve n'aurait mesuré que 30 cm.**

Leællynasaura

CAMPTOSAURE

Reptile flexible

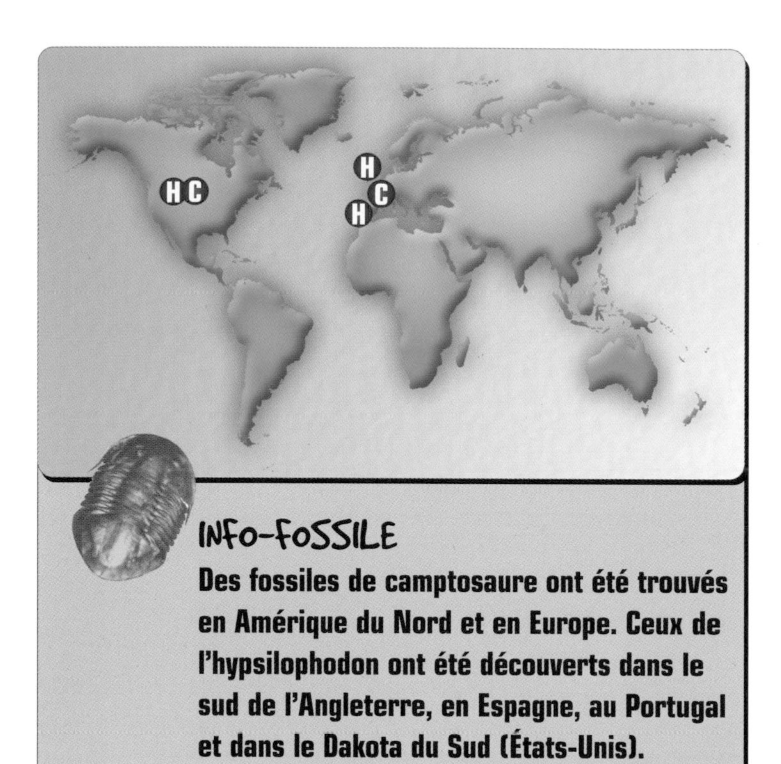

INFO-FOSSILE

Des fossiles de camptosaure ont été trouvés en Amérique du Nord et en Europe. Ceux de l'hypsilophodon ont été découverts dans le sud de l'Angleterre, en Espagne, au Portugal et dans le Dakota du Sud (États-Unis).

Squelette de camptosaure

Othniel C. Marsh, le fameux chasseur de dinosaures, a baptisé le camptosaure en 1885 même si sa découverte remontait à 1879. Le camptosaure semble avoir vécu à plusieurs endroits. En effet, ses fossiles ont été retrouvés au Utah et au Wyoming (États-Unis) ainsi que dans l'Oxfordshire (Angleterre) et au Portugal.

Le camptosaure était un dinosaure au corps massif et son poids pouvait atteindre 2 000 kg (2 tonnes). Il pouvait marcher à quatre pattes ou se tenir et marcher sur ses pattes de derrière. Debout, il avait une hauteur de 7 m. Il était l'un des premiers dinosaures à posséder des poches de peau aux joues. Elles servaient à emmagasiner de la nourriture, tout comme le fait le hamster. Il se nourrissait de cycades, de fougères et d'épines de pin.

Renseignements

PRONONCIATION :	KAMP-TÔ-ZORE
SOUS-ORDRE :	ORNITHOPODE
DESCRIPTION :	HERBIVORE BIPÈDE

Permien	Trias	Jurassique	Crétacé
(-290 à -248 millions d'années)	(-248 à -176 millions d'années)	(-176 à -130 millions d'années)	(-130 à -66 millions d'années)

HYPSILOPHODON

Dent à haute crête

Lors de sa découverte en 1849, on croyait avoir affaire à un jeune iguanodon (voir page 86). Cependant, en 1870, le **paléontologue** T.H. Huxley a décrit en profondeur l'hypsilophodon et il a été par la suite été considéré comme un dinosaure différent.

Squelette d' hypsilophodon

L' hypsilophodon était un des plus petits dinosaures avec sa longueur d'environ 2 m et son poids de 70 kg. Il était **bipède** et possédait de petits bras. Sa lourde queue lui permettait de conserver son équilibre. Il avait entre 28 et 30 petites dents triangulaires qui s'aiguisaient d'elles-mêmes. Elles étaient situées à l'avant de sa mâchoire et il s'en servait pour arracher les feuilles, les plantes basses et les épines. Des poches aux joues lui permettaient d'emmagasiner de la nourriture, tout comme le hamster. Ses petites mains avaient cinq doigts et ses pieds quatre orteils. Son corps léger lui permettait des déplacements rapides malgré sa grosseur. Il pouvait donc se sauver du baryonyx (voir page 28) et du mégalosaure (voir page 36), ses principaux prédateurs.

On a déjà cru que l' hypsilophodon vivait dans les arbres, mais cette théorie ne tient aujourd'hui plus la route.

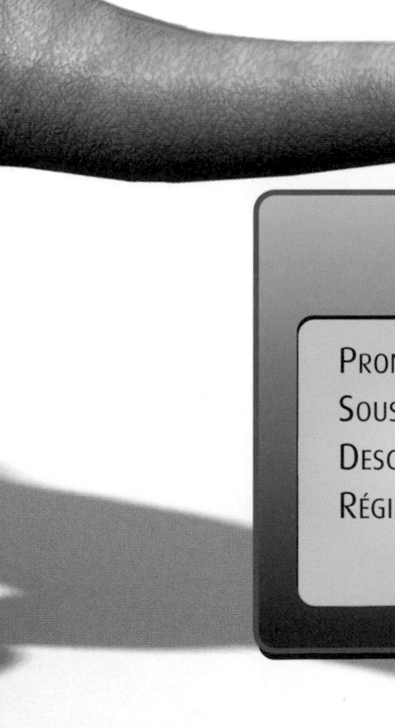

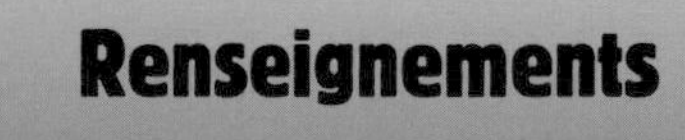

Renseignements

PRONONCIATION :	IP-SIL-Ô-FO-DON
SOUS-ORDRE :	ORNITHOPODE
DESCRIPTION :	LÉGER ET RAPIDE
RÉGIME :	PLANTES

SQUELETTES

L'étude des dinosaures commence avec les squelettes. Plusieurs squelettes bien conservés ont été découverts et identifiés.

Anatomiquement, les dinosaures possèdent des caractéristiques qui les différencient des **archosaures** (crocodiliens et **ptérosaures**) : le quatrième et le cinquième doigt de la main des dinosaures sont plus petits, leurs pieds ont trois grands orteils, leur sacrum (vertèbre de jonction à la hanche) est composé d'au moins trois vertèbres et ils ont un acétabulum (une structure à trois os).

La structure de la hanche des dinosaures leur donne une posture où les jambes se retrouvent sous leur corps, contrairement aux autres reptiles qui ont des jambes qui sortent sur les côtés. Les dinosaures furent la première espèce à être en mesure de marcher avec les jambes en extension sous leur corps. Aucun autre reptile n'a été capable de le faire et cela a ouvert la voie à l'évolution d'une variété de formes corporelles et de modes de vie. C'est pourquoi les dinosaures ont régné sur terre pendant 160 millions d'années.

Classification

Les dinosaures sont classifiés, selon la structure de leur hanche, en deux ordres : les saurischiens (signifiant « hanche de lézard ») et les ornitischiens (signifiant « hanche d'oiseau »). Cette division est basée sur leur arbre évolutionnaire. Au début du Trias, les dinosaures ont évolué de leurs ancêtres, les **thécondontes**, et se sont divisés dans ces deux groupes.

Crânes

Les dinosaures sont diapsides (comme tous les reptiles, sauf la tortue). Cela signifie qu'ils possèdent deux trous de plus aux côtés de leur crâne.

Les squelettes de dinosaures diffèrent d'espèce en espèce. L'utahraptor, un membre de la famille des **théropodes**, était un prédateur rapide et terrifiant qui était plus grand qu'un homme. Son squelette était léger et il pouvait se déplacer facilement et rapidement. Il utilisait sa longue queue pour maintenir son équilibre. Il était aussi en mesure d'accomplir des prouesses acrobatiques comme sauter ou se tenir sur une seule patte.

Hypsilophodon

Hypsilophodon

L'hypsilophodon était un herbivore bipède qui avait une hauteur de 1,5 m. Ce qui surprend le plus au sujet du squelette de l'hypsilophodon, c'est le peu d'éléments qui le composent. Un peu comme une gazelle ou une antilope, toute la structure a été réduite afin de donner le support maximum pour le poids minimum. Les os étaient même amincis et creux, tout comme ceux de la gazelle. L'os de la cuisse d'un hypsilophodon était assez court pour lui permettre des mouvements rapides et, donc, des enjambées rapides.

Crâne de dinosaure montrant les deux trous supplémentaires aux côtés

Tyrannosaure

Le tyrannosaure, un carnivore géant, avait un corps massif, une grosse tête avec des mâchoires puissantes, des dents acérées et une queue rigide. Ses pattes de devant étaient très petites. Il possédait environ 200 os, à peu près autant que l'homme (personne ne le sait exactement car aucun squelette complet n'a été trouvé). Les scientifiques ne s'entendent pas à savoir s'il était rapide ou non. Son squelette est lourd et laisse croire qu'il était lent, mais les os du dessus de son pied sont joints ensemble pour donner plus de puissance et possiblement pour pouvoir recevoir la pression causée par la course. Cela laisse croire qu'il était peut-être un animal rapide.

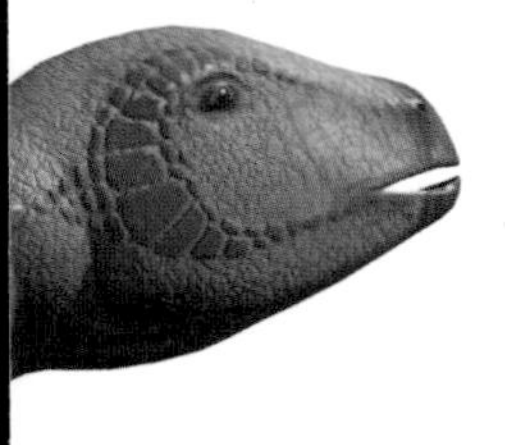

Assemblage d'un squelette complet de dinosaure (Musée d'histoire naturelle, Londres)

CORYTHOSAURE

Herbivore à crête et à bec de canard

INFO-FOSSILE

Des fossiles ont été retrouvés dans l'ouest de l'Amérique du Nord et au Canada. La première découverte a été effectuée en Alberta en 1912 par Barnum Brown.

Corythosaure signifie « lézard à casque ». Ce dinosaure a été nommé ainsi par Barnum Brown en 1914 en raison de la crête osseuse creuse du dessus de sa grande tête. Elle avait la forme d'un casque.

Apparence

Le corythosaure avait une longueur de 10 m, une hauteur à la hanche de 2 m et un poids de 4 000kg (4 tonnes). Ses pattes de devant étaient beaucoup plus courtes que celles de derrière. On croit qu'il pouvait se soulever sur ces dernières pour apercevoir les dangers ou pour courir à une vitesse relativement rapide. Sa longue queue pointue lui permettait de maintenir son équilibre. Des empreintes de pieds fossilisés laissent croire qu'il se déplaçait ordinairement à quatre pattes et ce, pour pouvoir brouter les plantes basses. Il recueillait ces plantes à l'aide de son bec sans dents, situé au bout de son long museau mince. La nourriture serait ensuite poussée vers l'arrière afin d'être broyée par les centaines de petites dents acérées qui se trouvaient à la hauteur de ses joues. Ces dents étaient continuellement remplacées lorsqu'elles étaient usées ou tombées.

Les scientifiques ont eu plusieurs débats au sujet de l'utilité de sa crête en forme de casque. Certains croient qu'elle servait à parader (les mâles adultes possédaient de plus grosses crêtes que les jeunes ou les femelles) ou à se reconnaître entre eux. Des restes fossilisés de corythosaure ont été trouvés en compagnie de ceux d'autres herbivores. Cela porte à croire que les herbivores de différentes espèces se côtoyaient lorsqu'ils broutaient ou pendant les migrations. Si cela est vrai, il aurait été très utile de pouvoir

reconnaître les autres membres de son groupe grâce à un signe distinctif comme la crête. Son odorat développé lui aurait aussi permis de retrouver ses congénères.

Presque tous s'entendent maintenant que le corythosaure utilisait une chambre à air, située à l'intérieur de la crête, pour communiquer en émettant des sons à la manière d'une trompette. Ces sons auraient été profonds et retentissants et ils se seraient propagés sur de grandes distances à travers les forêts préhistoriques.

MÉGA-INFOS

- **En 1916, le bateau canadien Mount Temple transportait deux spécimens de corythosaure du Canada à l'Angleterre lorsqu'il fut coulé par le sous-marin allemand SMS Moewe. Son précieux chargement repose maintenant au fond de l'Atlantique.**
- **C'est le dinosaure à bec de canard que nous connaissons le mieux grâce aux découvertes de 20 crânes.**
- **Les scientifiques ont cru à une époque que ce dinosaure vivait surtout dans l'eau parce que ses doigts et ses orteils étaient reliés entre eux. Cependant, il ne s'agissait pas de palmes, mais bien de coussinets dégonflés.**
- **Le corythosaure vivait entre les montagnes occidentales de l'Amérique du Nord et une mer intérieure. Il migrait probablement des côtes vers les régions plus élevées pour se reproduire.**

Renseignements

PRONONCIATION :	KOR-I-TÔ-ZORE
SOUS-ORDRE :	ORNITHOPODE
FAMILLE :	HADROSAURIDÉS
DESCRIPTION :	HERBIVORE À CRÊTE
CARACTÉRISTIQUES :	CRÊTE EN FORME DE CASQUE
RÉGIME :	ÉPINES DE PIN, CONIFÈRES, GINKGOS, BRINDILLES, FEUILLES ET FRUITS

MAÏASAURA

Dinosaure migrateur à bec de canard

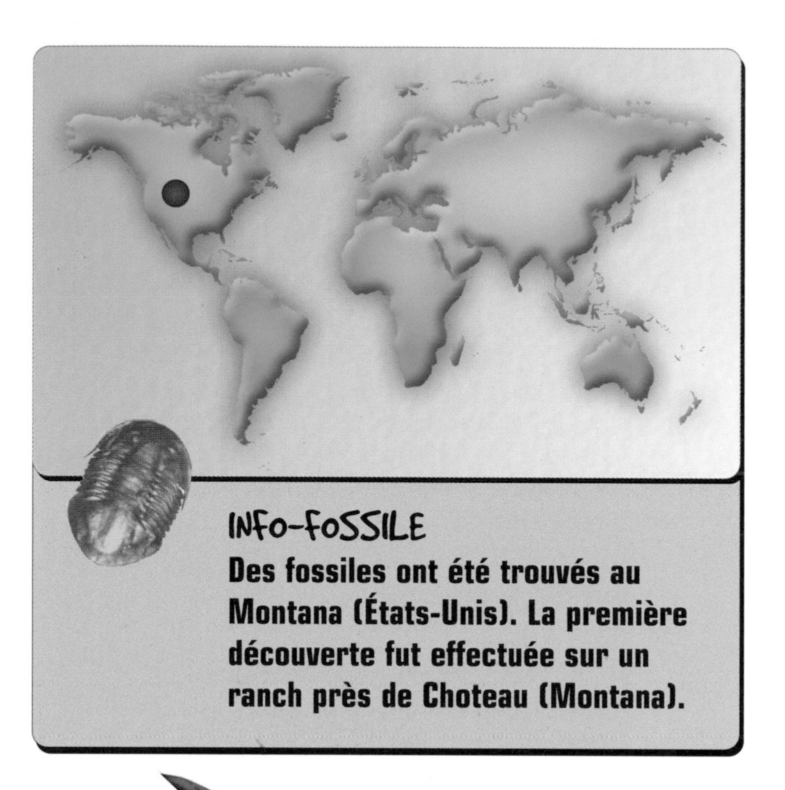

INFO-FOSSILE
Des fossiles ont été trouvés au Montana (États-Unis). La première découverte fut effectuée sur un ranch près de Choteau (Montana).

Maïasaura signifie « lézard bonne mère ». Il a été baptisé ainsi par le paléontologue Jack Horner suite à la découverte d'une série de nids qui contenaient des œufs et des larves. C'était la première preuve qui permettait d'affirmer que certains dinosaures élevaient et nourrissaient leurs petits.

Apparence

Le maïasaura était un hadrosaure qui vivait sur les côtes des terres basses du Montana il y a 75 millions d'années. Contrairement à certains hadrosaures, il n'avait qu'une petite crête sur la tête. Il possédait aussi des bosses osseuses au-dessus de chaque œil. Son visage était long et large et il se terminait par un grand bec. Son crâne plat avait une longueur de 82 cm et une hauteur de 35 cm. Son bec n'avait pas de dents, mais le maïasaura avait plusieurs dents à la hauteur de ses joues pour broyer sa nourriture.

À maturité, il pouvait atteindre une longueur de 9,2 m et un poids d'entre 3 000 kg et 4 000 kg (3-4 tonnes). Il se déplaçait ordinairement à quatre pattes, mais il pouvait aussi se tenir sur ses pattes de derrière pour atteindre des branches ou pour se sauver des prédateurs. Ses bras étaient beaucoup plus courts que ses puissantes jambes.

Vie de famille

Un grand nombre de fossiles de ce dinosaure ont été trouvés ensemble (un site en contenait 10 000 !) dont des œufs, des nids et des bébés. Les scientifiques croient donc que le maïasaura vivait en groupe. La découverte de ce dinosaure a complètement changé notre perception au sujet de la manière d'élever les petits de ces créatures. On croyait auparavant qu'ils étaient des reptiles insoucieux qui laissaient leurs œufs et leurs petits se débrouiller seuls.

La découverte la plus célèbre a été effectuée sur un site qui a obtenu le nom de « montagne de l'œuf ». Ce site renfermait un groupe de nids de maïasaura et on pouvait observer à

Squelette de maïasaura

l'intérieur de l'un d'eux les os de bébés d'à peine quelques mois. Le fait que ces bébés étaient encore dans le nid à cet âge laisse croire que les parents devaient encore s'en occuper. Les bébés mesuraient 35 cm à l'éclosion et ils atteignaient 3 m après seulement un an. Cela constitue une croissance très rapide.

Plusieurs restes de plantes se trouvaient autour des œufs fossilisés. On croit que cela servait à recouvrir les œufs et ainsi aider à leur incubation car le pourrissement de la végétation produisait de la chaleur.

MÉGA-INFOS

- **En 1985, un fragment d'os de maïasaura a été transporté dans l'espace pendant huit jours à bord de Skylab 2 pour une expérience de la NASA.**
- **Le maïasaura est le fossile d'état officiel du Montana.**

Renseignements

PRONONCIATION :	MA-IA-ZORA
SOUS-ORDRE :	ORNITHOPODE
FAMILLE :	HADROSAURIDÉS
DESCRIPTION :	DINOSAURE À BEC DE CANARD DE TAILLE MOYENNE
CARACTÉRISTIQUES :	PETITE CRÊTE SUR LA TÊTE, GROS CRÂNE ET BEC LARGE
RÉGIME :	PLANTES BASSES ET FEUILLES

EDMONTOSAURE

Dinosaure à bec de canard (avec dents) se nourrissant aux arbres

Edmontosaure signifie « lézard d'Edmonton ». Il a été nommé ainsi en 1917.

Apparence

L'edmontosaure avait une longueur de 13 m et il pesait environ 3 500 kg (3,5 tonnes). Il possédait la même tête plate et inclinée que la plupart des dinosaures à bec de canard. Sa bouche était un large bec en forme de cuillère.

Son bec ne contenait pas de dents, mais il en possédait six rangées, donc des centaines, à la hauteur de ses joues. L'edmontosaure avait la capacité de broyer de la nourriture très coriace en la bougeant au travers ses dents et les poches musculaires qu'il possédait aux joues. Dès qu'une dent était usée, elle était remplacée.

Cet **herbivore** qui se nourrissait aux arbres se tenait à quatre pattes pour brouter et il était possiblement en mesure de se dresser sur ses puissantes pattes de derrière. Ses pattes de devant étaient plus courtes et moins puissantes.

INFO-FOSSILE

Des fossiles ont été retrouvés aux États-Unis et au Canada. La première découverte remonte à 1912.

Renseignements

PRONONCIATION :	ÈD-MON-TÔ-ZORE
SOUS-ORDRE :	ORNITHOPODE
FAMILLE :	HADROSAURIDÉS
DESCRIPTION :	DINOSAURE À BEC DE CANARD QUI SE NOURRISSAIT AUX ARBRES
CARACTÉRISTIQUES :	CENTAINES DE DENTS, POCHE DE CHAIR GONFLABLE
RÉGIME :	ÉPINES DE CONIFÈRE, GRAINES ET BRINDILLES

Edmontosaure

Permien	Trias	Jurassique	Crétacé
(-290 à -248 millions d'années)	(-248 à -176 millions d'années)	(-176 à -130 millions d'années)	(-130 à -66 millions d'années)

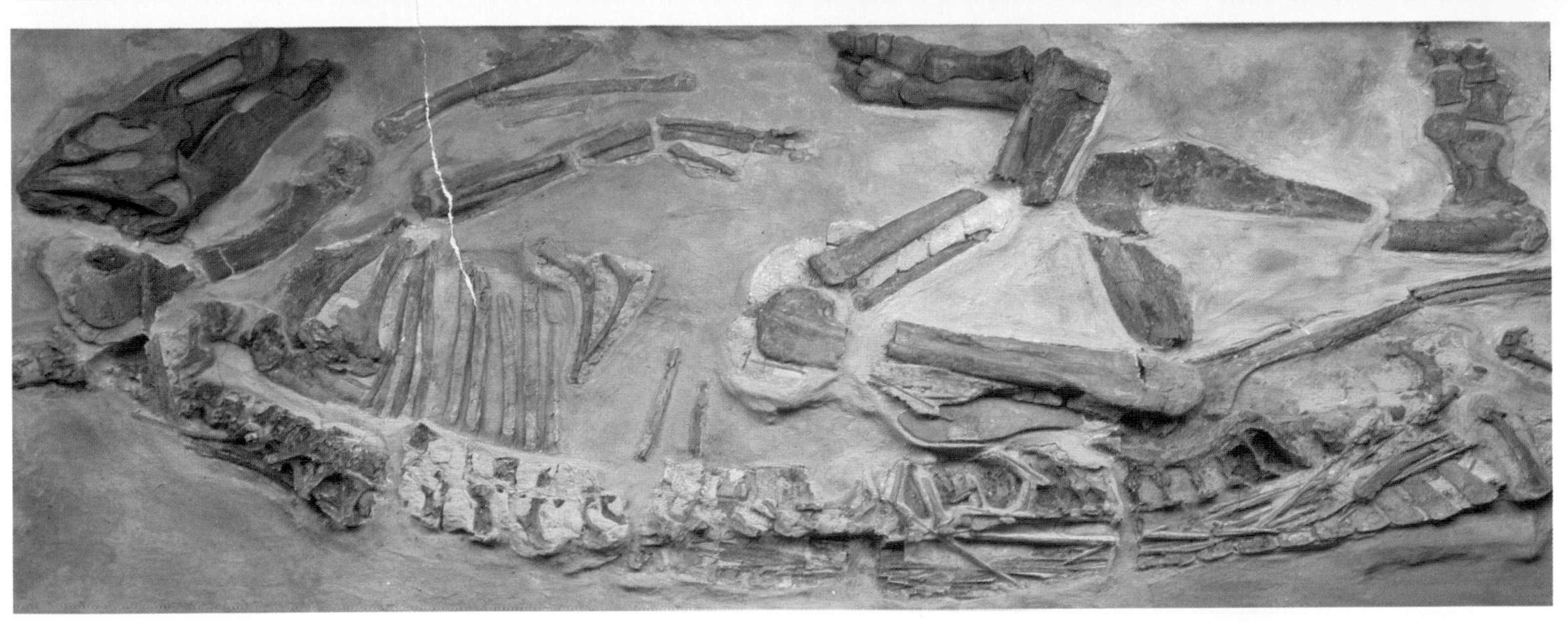

Squelette d'edmontosaure

Défense

L'edmontosaure était lent et il ne possédait presque aucun moyen de défense. Il évitait probablement les prédateurs de son époque, comme le tyrannosaure (voir page 24), grâce à ses sens très développés (vue, ouïe et odorat). Nous savons aussi, en raison de la découverte d'un fossile momifié en 1908, que l'edmontosaure avait une solide peau à écailles et une rangée de bosses (appelées tubercules) le long de son cou, de son dos et de sa queue.

Presque dépourvus de défense, ces herbivores devaient chercher la sécurité en se regroupant. En Alberta (Canada), la présence d'un gros « cimetière » contenant des fossiles d'edmontosaures vient appuyer cette théorie. Il migrait peut-être avec les saisons, de l'Alaska (où les plantes auraient été rares pendant les noirs mois d'hiver) à la riche région marécageuse de l'Alberta.

MÉGA-INFOS

- **Un fossile d'edmontosaure, maintenant exposé au musée de la nature et de la science de Denver, montre sur sa queue les traces d'une morsure de tyrannosaure. Étonnamment, l'os porte des signes de guérison. L'edmontosaure semble avoir survécu à l'attaque. Ces traces de guérison prouvent qu'il était encore vivant lors de l'agression et, donc, que le tyrannosaure n'était pas qu'un charognard, comme on le croyait dans les années 1970.**
- **Lors des migrations d'edmontosaures, le tyrannosaure devait suivre ses proies et considérer les individus faibles ou âgés comme des « repas préparés ».**
- **À sa découverte, plusieurs scientifiques croyaient que l'edmontosaure passait beaucoup de temps dans l'eau. Ses mains semblaient palmées et c'est là la seule preuve qui permet cette affirmation. Cependant, il semble qu'il ne s'agissait pas de palmes, mais plutôt de coussinets qui se seraient détériorés avec le temps.**

PARASAUROLOPHUS

Dinosaure à bec de canard (avec dents) se nourrissant aux arbres

INFO-FOSSILE

Des fossiles ont été trouvés au Canada et aux États-Unis. La première découverte a été effectuée en Alberta en 1922.

Parasaurolophus signifie « lézard à presque crête ». Il a été nommé ainsi par le Dr William A. Parks en 1922. Il vivait dans les jungles de l'Amérique du Nord entre -75 et -65 millions d'années.

Apparence

Le parasaurolophus avait la plus remarquable crête des dinosaures de son espèce. Cette crête, qui partait de l'arrière de son crâne, pouvait atteindre une longueur de 1,8 m. Elle était constituée d'un tube creux rempli de passages qui reliaient ses narines au bout de sa crête.

Le parasaurolophus était l'un des plus grands herbivores de la période crétacée. Il avait une longueur de 10 m, une hauteur de 4,9 m et un poids d'environ 3 500 kg (3,5 tonnes). Ses pattes de devant étaient plus courtes que celles de derrière. Il se déplaçait probablement à quatre pattes pour brouter les plantes basses, mais il pouvait aussi se tenir sur deux pattes, en utilisant sa longue queue pour maintenir son équilibre, pour observer, atteindre les feuilles ou se sauver. Il ne possédait pas

Renseignements

Prononciation :	Par-a-sor-ô-lof-usse
Sous-ordre :	Ornithopode
Famille :	Hadrosauridés
Description :	Herbivore à bec de canard et à la crête bizarre
Caractéristiques :	Crête massive sur le crâne
Régime :	Feuilles, brindilles et épines de pin

de vrai moyen de défense outre que la fuite. Il devait vivre en groupe pour des raisons de sécurité.

Son long cou lui permettait d'atteindre la nourriture au sol ou dans les arbres.

Il possédait un bec de canard au bout de son museau qui servait à couper les feuilles ou les plantes. Toutes ses dents étaient situées à la hauteur de ses joues où la nourriture était poussée puis broyée. Son museau était mince et plus court que celui des autres dinosaures à bec de canard.

La « voix » du parasaurolophus

La crête spéciale du parasaurolophus renfermait un dédale de chambres d'air qui étaient reliées aux voies respiratoires.

Plusieurs scientifiques croient que la crête servait de « chambre de résonance », ce qui permettait au dinosaure d'émettre de puissants sons à basse fréquence en y soufflant de l'air. En 1955, une étude effectuée au Nouveau-Mexique s'est servie de puissants ordinateurs et de tomodensitogrammes provenant d'un crâne fossilisé pour tenter de recréer les sons du parasaurolophus. En 1997, le « chant du dinosaure » fut entendu pour la première fois en 75 millions d'années. Le parasaurolophus émettait un son à basse fréquence qui pouvait changer de hauteur tonale. On croit même que les sons étaient assez distincts pour distinguer les parasaurolophus entre eux!

MÉGA-INFOS

- **Son cerveau avait à peu près la taille d'un poing humain.**
- **Les fossiles des gros os de ses oreilles laissent croire qu'il aurait été en mesure d'entendre des sons plus bas que les humains.**
- **Des restes fossilisés démontrent que la peau du parasaurolophus était solide et rugueuse.**

Squelette de parasaurolophus

GRYPOSAURE

Lézard griffon

INFO-FOSSILE

Des fossiles ont été trouvés au Canada, aux États-Unis et, possiblement, en Amérique du Sud.

Le gryposaure fut nommé ainsi par le **paléontologue** canadien Lawrence Lambe en 1914.

Lorsqu'il fut découvert, les paléontologues croyaient avoir trouvé un kritosaure, un dinosaure semblable, découvert au Canada et en Argentine qui fut nommé ainsi en 1910. Son nom, qui signifie « reptile », lui fut donné en raison de son apparence élégante. Deux autres dinosaures, le trachodon, découvert en 1856, et le naashoibitosaure, découvert en 1993, sont également très semblables, et furent découverts dans les mêmes endroits.

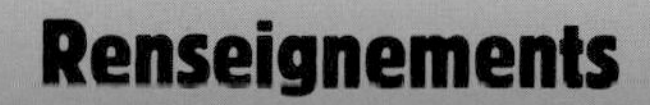

Renseignements

PRONONCIATION :	GRI-PÔ-ZORE
SOUS-ORDRE :	ORNITHOPODE
FAMILLE :	HADROSAURES
DESCRIPTION :	HERBIVORE À BEC DE CANARD

Avec sa longueur d'environ 9 m et son poids allant jusqu'à 3 000 kg (3 tonnes), le gryposaure est considéré comme un hadrosaure de taille moyenne. Des os et des crânes fossilisés démontrent que le gryposaure possédait un nez proéminent et anguleux de forme distincte avec une courbe prononcée à la hauteur des narines. Sa tête était longue et mince et elle avait la mâchoire caractéristique des dinosaures à bec de canard.

MÉGA-INFOS

- **En se tenant sur ses pattes de derrière, le gryposaure devait être en mesure d'atteindre les feuilles, les épines de pin et les brindilles situées en hauteur. Les dents situées à la hauteur de ses joues lui permettaient de broyer les aliments.**
- **Plusieurs autres dinosaures ont été trouvés dans la même formation rocheuse que le gryposaure, celle de Two Medicine au Montana.**

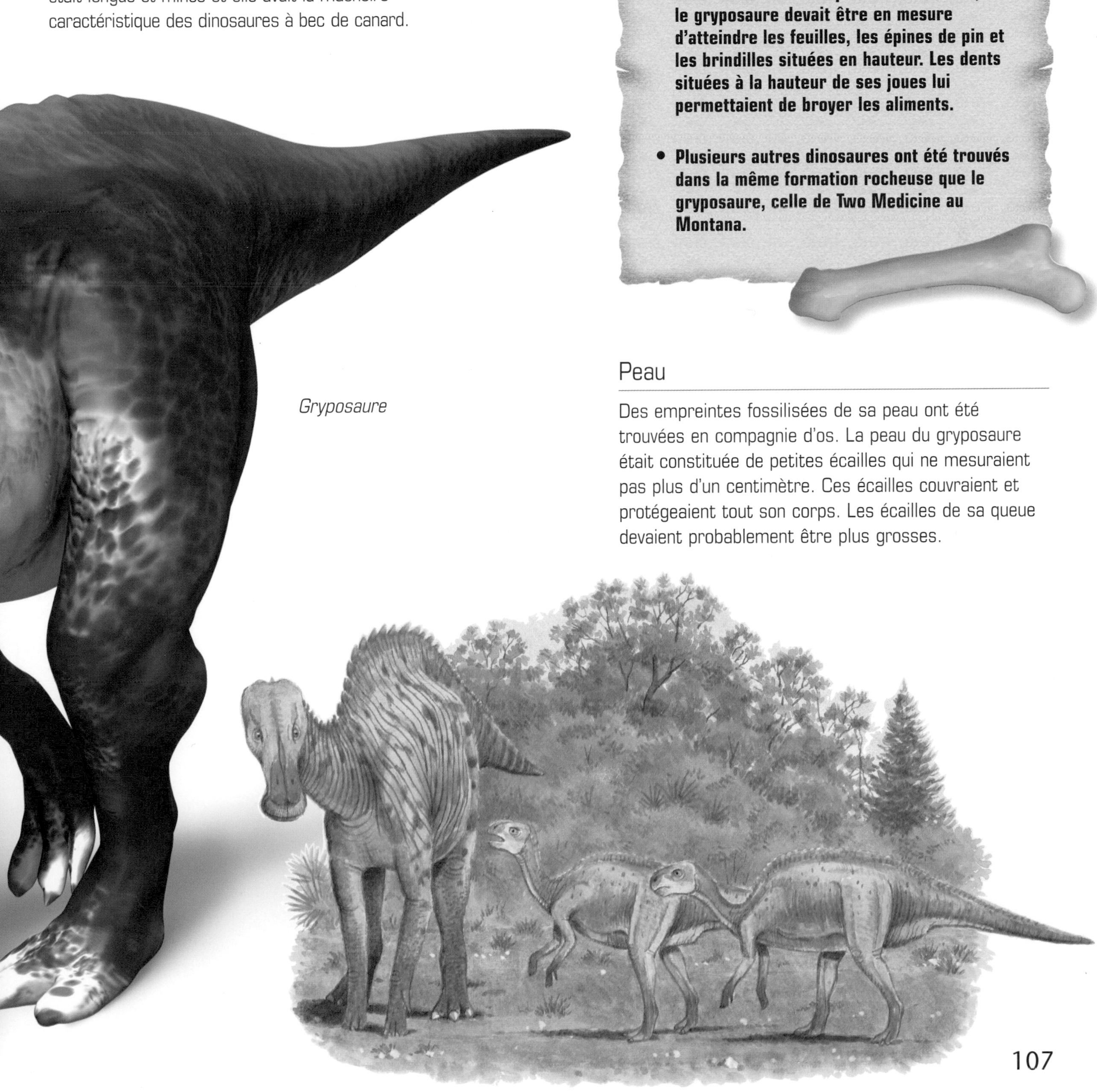

Gryposaure

Peau

Des empreintes fossilisées de sa peau ont été trouvées en compagnie d'os. La peau du gryposaure était constituée de petites écailles qui ne mesuraient pas plus d'un centimètre. Ces écailles couvraient et protégeaient tout son corps. Les écailles de sa queue devaient probablement être plus grosses.

DIMORPHODON

Reptile ailé primitif et piscivore

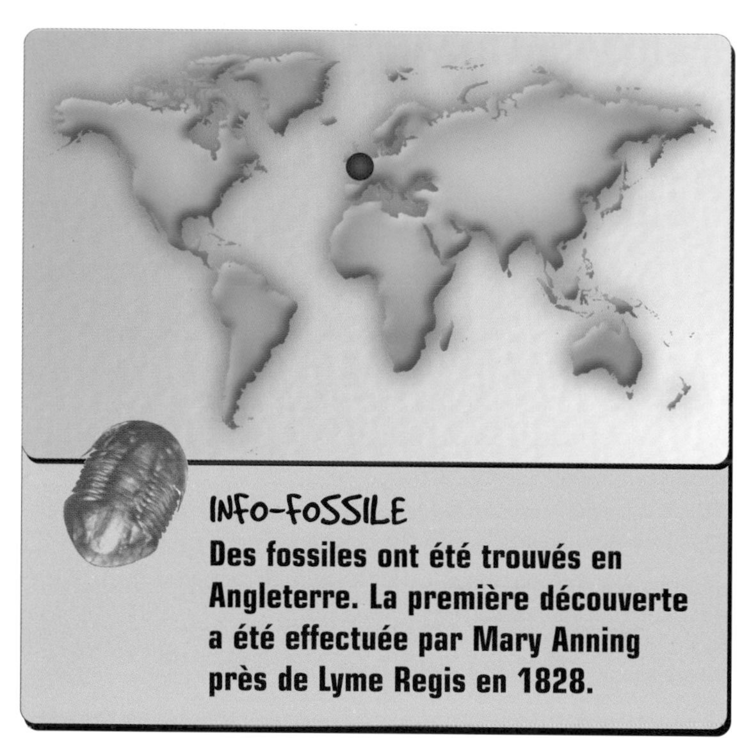

INFO-FOSSILE

Des fossiles ont été trouvés en Angleterre. La première découverte a été effectuée par Mary Anning près de Lyme Regis en 1828.

Dimorphodon signifie « à la double morphologie dentaire ». Il a été nommé ainsi par le paléontologue Sir Richard Owen en 1859. Il possédait deux sortes de dents distinctes. Celles d'en avant étaient plus longues que celles de derrière.

Apparence

Le dimorphodon faisait partie du groupe de reptiles volants qui étaient appelés **ptérosaures**. Ils vivaient à la même époque que les dinosaures. C'est l'un des premiers ptérosaures à avoir été découvert. Il vivait entre -206 et -180 millions d'années. Il était assez petit avec sa longueur de 1 m. Ses ailes étaient formées d'une membrane de cuir qui s'étirait autour de son corps, du sommet de ses jambes et de ses quatrièmes doigts. Il était léger en raison de ses os creux.

Sa tête était massive et il avait des mâchoires larges et profondes en comparaison avec le reste de son corps. On croit que son grand bec était coloré et qu'il s'en servait pour parader. Comme tous les ptérosaures, il possédait d'énormes yeux, ce qui devait lui donner une excellente vision.

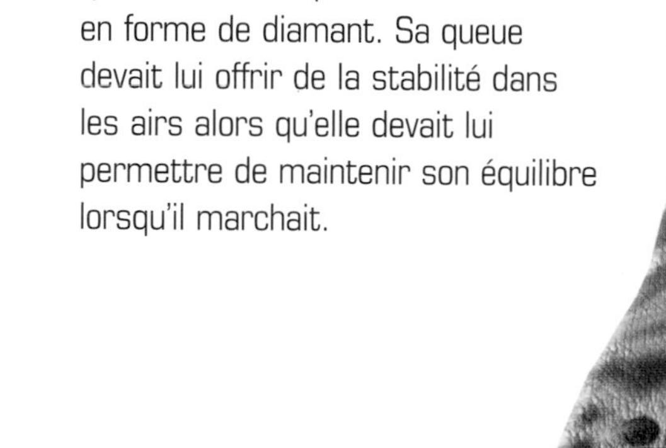

À l'autre bout de son corps, il avait une longue queue pointue qui se terminait par une curieuse masse de chair en forme de diamant. Sa queue devait lui offrir de la stabilité dans les airs alors qu'elle devait lui permettre de maintenir son équilibre lorsqu'il marchait.

Renseignements

Prononciation :	Di-morf-ô-don
Sous-ordre :	Rhamphorynchoidae
Famille :	Dimorphodontidæs
Description :	Reptile volant primitif
Caractéristiques :	Des différents types de dents dans son bec
Régime :	Poissons, insectes et possiblement des petits animaux

MÉGA-INFOS

- **Il possédait une envergure d'aile de 1,7 m.**
- **Le spécimen trouvé par Mary Anning est considéré comme le premier squelette de ptérosaure complet à avoir été découvert.**
- **Il utilisait peut-être ses grandes pattes pour s'accrocher aux falaises et attendre que les poissons remontent à la surface. Puis, il fondait sur sa proie.**

Déplacements

Les scientifiques ne s'entendent pas tous au sujet des déplacements du dimorphodon lorsqu'il ne volait pas. Des empreintes fossilisées laissent croire qu'il se déplaçait à quatre pattes, mais certains chercheurs pensent qu'il était en mesure de se tenir droit, ou presque, sur ses pattes de derrière et qu'il pouvait même courir assez rapidement. Contrairement aux autres ptérosaures, le dimorphodon avait des pattes qui étaient orientées vers les côtés. Cela lui aurait donné une démarche (ou un dandinement) maladroite. Quelques **paléontologues** ont par la suite suggéré qu'il devait passer la majeure partie de son temps dans les airs et qu'il devait s'accrocher aux branches et aux parois montagneuses à l'aide de ses mains et de ses orteils griffus.

On a longtemps cru que le dimorphodon était un coureur très rapide lorsqu'il se tenait sur ses orteils. Des découvertes récentes démontrent cependant qu'il était incapable de plier ses pieds. Il devait donc placer tout son pied au sol lorsqu'il se déplaçait.

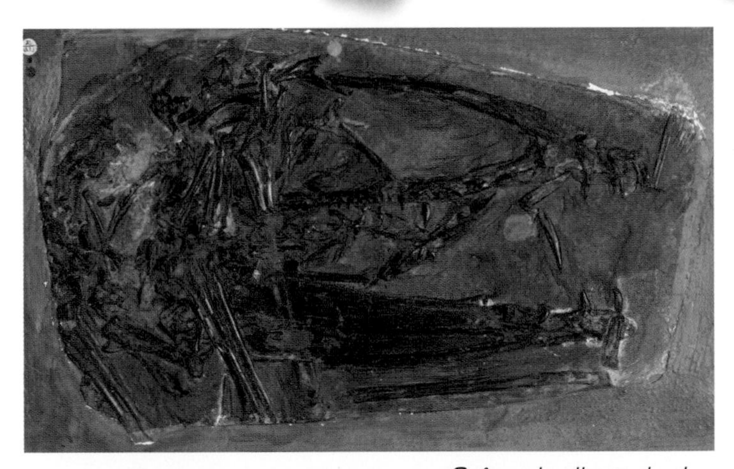

Crâne de dimorphodon

Squelette fossilisé de dimorphodon

CAUDIPTERYX

Dinosaure à plumes qui ne peut voler

LES DINOSAURES VOLANTS

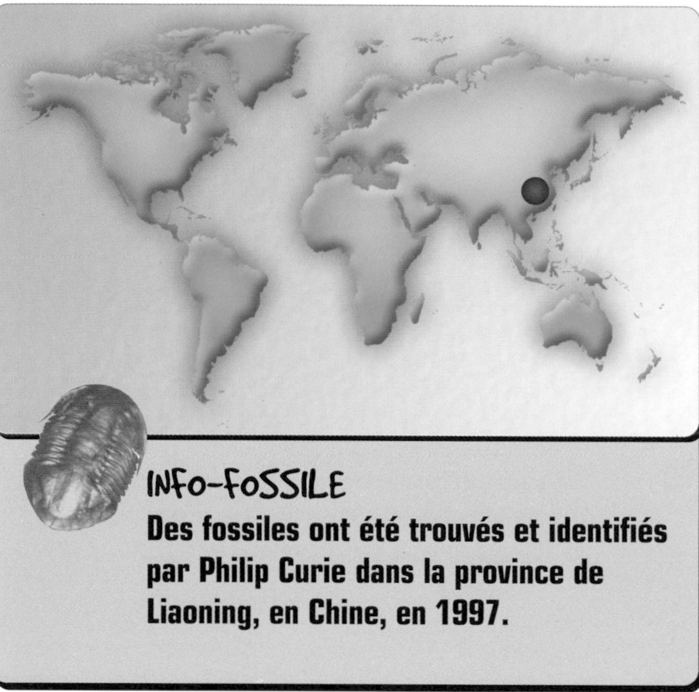

INFO-FOSSILE
Des fossiles ont été trouvés et identifiés par Philip Curie dans la province de Liaoning, en Chine, en 1997.

Caudipteryx signifie « queue ailée ». Ce nom lui a été donné en raison de sa courte queue de plumes.

Apparence

Le caudipteryx était un petit dinosaure **bipède** qui possédait de longues jambes ainsi qu'une queue et des bras très courts. Il mesurait 1 m et avait le poids d'une grosse dinde. Son petit museau renfermait de longues dents acérées. Ses longues jambes et son faible poids en faisait un coureur rapide.

Son corps était recouvert de petites plumes duveteuses alors que de longues plumes en forme de tube couvraient ses bras et sa queue. Les plumes de sa queue pouvaient atteindre 20 cm et elles étaient disposées en éventail. On croit que le caudipteryx se servait de ces dernières pour parader. Même si les bras du caudipteryx ressemblaient à des ailes et que les plumes qui recouvraient ses bras étaient longues et en forme de tube, il ne pouvait voler.

Les plumes du caudipteryx étaient quand même très utiles car elles lui servaient d'isolant et d'outils de parade tout en lui permettant de tenir ses œufs au chaud.

Régime

Le caudipteryx vivait dans les terres inondées et il se promenait probablement dans l'eau pour attraper de petits poissons à l'aide de son bec aux dents acérées. Cependant, des fossiles nous ont révélé la présence de petites pierres dans leur estomac. Ces gastrolithes servent à digérer les plantes, ce qui laisse croire qu'il était peut-être en partie herbivore. Son régime était donc constitué de plantes, de petits poissons et de petits animaux.

Renseignements

PRONONCIATION :	KÔ-DIP-TÈR-IKS
SOUS-ORDRE :	THÉROPODE
FAMILLE :	CAUDIPTERIDÆS
DESCRIPTION :	DINOSAURE À PLUMES AVEC DE LONGUES JAMBES
CARACTÉRISTIQUES :	QUEUE DE PLUMES DISTINCTES, PLUMES ET BRAS RESSEMBLANT À DES AILES
RÉGIME :	PETITS POISSONS

MÉGA-INFOS

- **Les dents du caudipteryx étaient orientées vers l'avant, un peu comme celles du lapin.**
- **Les fossiles de caudipteryx font partie des spécimens en excellent état qui ont été retrouvés dans la province de Liaoning, en Chine. Ils sont si bien conservés que l'on peut y observer des empreintes de peau et de plumes. Cela permet d'imaginer ce à quoi les dinosaures ressemblaient.**

Évolution des oiseaux

Presque tous les scientifiques acceptent maintenant que les oiseaux sont une évolution des dinosaures. Cependant, certains croient que tous les oiseaux descendent de l'archæopteryx (voir page 112). D'autres pensent qu'ils ont évolué des maniraptors, un groupe qui comprenait le caudipteryx et, par la suite, le vélociraptor (voir page 32) et le deinonychus. Ces deux derniers possédaient le joint osseux pivotant au poignet qui est essentiel pour voler.

Les plumes et les bras en forme d'ailes du caudipteryx laissent croire qu'il est peut-être le chaînon manquant de l'évolution des dinosaures en oiseaux !

ARCHÆPTORYX

Carnivore bipède avec plumes et ailes

INFO-FOSSILE
Des fossiles ont été retrouvés en Bavière (Allemagne).

Archæopteryx signifie « plume ancienne ». Il a été nommé ainsi par Hermann Von Meyer en 1861. On croit généralement qu'il est un lien entre les dinosaures et les oiseaux.

Apparence

L'archæopteryx, avec son poids de 325 g, avait environ la taille d'une pie. Il possédait de courtes ailes larges, une longue queue, un long cou et de longues jambes. La partie supérieure de ses jambes était plus longue que la partie inférieure. Ses ailes, son corps et sa queue étaient recouverts de plumes. Ses grands yeux lui donnaient une excellente vision. Si ses plumes et ses ailes lui donnaient l'apparence d'un oiseau, son squelette et ses griffes rappelaient ceux d'un dinosaure.

En 2005, un spécimen de fossile particulièrement bien conservé a été étudié. Le deuxième orteil pouvait s'étirer plus que les autres, tout comme les griffes rétractables de vélociraptor (voir page 32). L'orteil de derrière n'était pas « inversé » (comme un pouce). L'archæopteryx ne pouvait donc pas s'en servir pour s'agripper aux branches.

L'archæopteryx pouvait-il voler ?

Les scientifiques ne s'entendent toujours pas à ce sujet. S'il volait, battait-il faiblement ou puissamment les ailes ?

Caractéristiques des oiseaux	Caractéristiques des dinosaures
Ailes avec plumes et doigts réduits	Griffes aux ailes (peut-être pour agripper)
Bréchet	Dents
Cerveau	Longue queue osseuse
Os creux	Mâchoires (et non un bec !)
Plumes sur le corps et la queue	

Ce tableau met en évidence les caractéristiques que l'archæopteryx partageait avec les oiseaux et les dinosaures.

En 2004, une expérience a été menée au musée national d'histoire de Londres pour tenter de répondre à cette question. Une numérisation par balayage a été effectuée sur la boîte crânienne d'un archæopteryx. Son cerveau ressemblait plus à celui d'un oiseau qu'à celui d'un dinosaure.

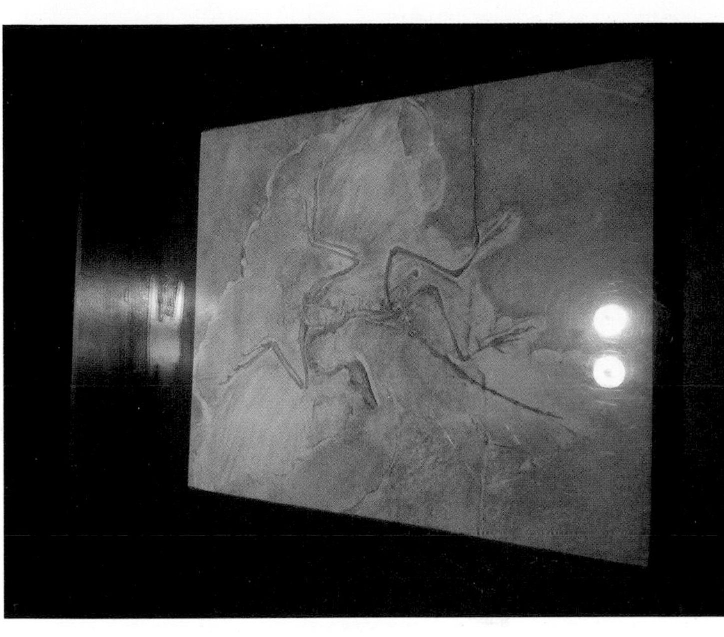

Fossile d'archæopteryx

MÉGA-INFOS

- **Il n'existe que 10 fossiles d'archæopteryx et un seul spécimen de plume.**
- **Le cerveau de l'archæopteryx avait seulement la taille d'un marron. Cependant, son cerveau, en comparaison avec la taille de son corps, était trois fois plus grand que chez les reptiles de la même grosseur.**
- **Il avait une envergure d'aile de 50 cm.**
- **Il y avait des dinosaures volants avant et après l'archæopteryx, mais leurs ailes étaient recouvertes de peau et non de plumes.**

Les régions qui contrôlaient la vision et les mouvements étaient plus grandes (comme chez les oiseaux) et l'intérieur de ses oreilles (qui contrôle l'équilibre) ressemblait à celle des oiseaux. Son cerveau était conçu pour voler et se maintenir en équilibre!

Le Dr Angela Milner, responsable de l'étude, croit que cela prouve que l'archæopteryx pouvait voler et, qu'il le faisait. Plusieurs scientifiques croient maintenant que l'archæopteryx avait la capacité de voler, mais qu'il ne volait pas très bien.

Renseignements

Prononciation :	Ark-éôp-tèr-iks
Sous-ordre :	Théropode
Famille :	Archæopteridæs
Description :	Carnivore bipède à plumes
Caractéristiques :	Ailes recouvertes de plumes
Régime :	Insectes et petits animaux

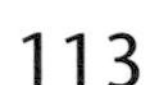

PTÉRANODON

Reptile volant édenté avec ailes

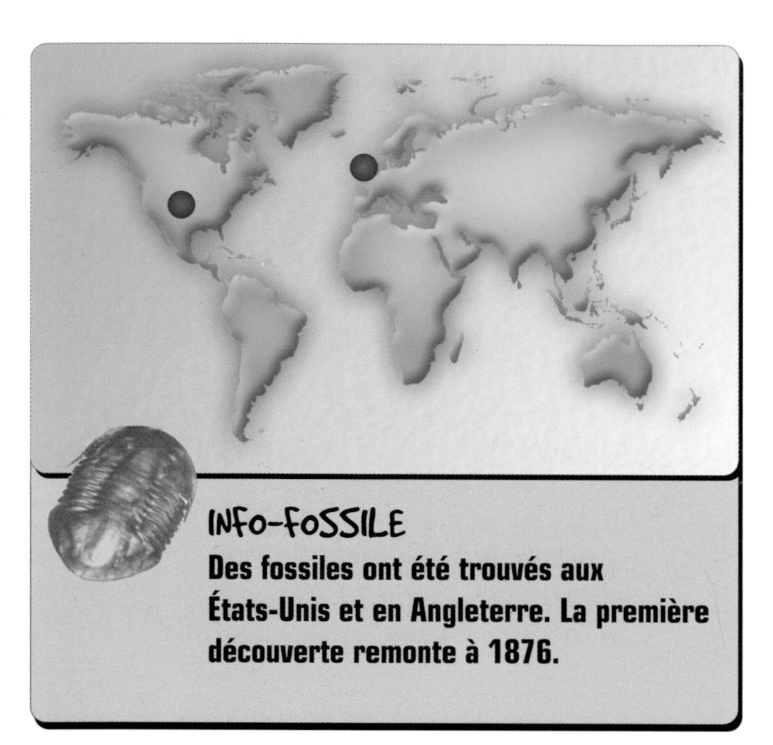

INFO-FOSSILE

Des fossiles ont été trouvés aux États-Unis et en Angleterre. La première découverte remonte à 1876.

Il ressemblait probablement plus à une grande chauve-souris qu'à un oiseau. Des membranes couvertes de poils doux constituaient ses ailes. Ces membranes étaient minces et très résistantes et elles s'étiraient du haut de son corps jusqu'au sommet de ses jambes. Ces reptiles volants n'avaient pas de plumes.

Renseignements

PRONONCIATION :	PTÉR-AN-Ô-DON
SOUS-ORDRE :	PTÉRODACTYLOÏDE
FAMILLE :	PTÉRODONTIDÉ
DESCRIPTION :	CARNIVORE
CARACTÉRISTIQUES :	GRANDE ENVERGURE D'AILE
RÉGIME :	POISSONS, MOLLUSQUES, CRABES ET INSECTES

Le ptéranodon vivait à la même époque que le tyrannosaure. Ce n'était pas un véritable dinosaure, mais un parent de celui-ci.

Le ptéranodon avait une envergure d'aile d'entre 9 m et 10 m et il pesait entre 20 kg et 25 kg.

Il pouvait marcher sur la terre, mais une fois dans les airs, le ptéranodon avait l'allure d'un gigantesque planeur. Il pouvait voler sur de longues distances en utilisant ses grandes ailes légères. Il profitait des courants thermiques ascendants pour s'élever au-dessus des forêts marécageuses.

MÉGA-INFOS

- **Il utilisait la grande crête osseuse du sommet de sa tête comme un gouvernail.**
- **Leurs crêtes aux couleurs vives étaient plus grandes chez les mâles et elles servaient à parader et à indiquer la disponibilité d'un individu.**
- **Leur mâchoire inférieure mesurait plus de 1 m.**
- **Ils étaient agiles, élégants et assez rapides lorsqu'ils volaient. Ils pouvaient atteindre une vitesse de 48 km/h.**

Régime

Le ptéranodon ne possédait pas de dents, mais il était un **carnivore**. Des squelettes fossilisés trouvés au bord de la mer laissent croire que le poisson était une partie importante de son régime. Son bec lui permettait de saisir les poissons directement dans l'eau. Son excellente vision l'aidait à apercevoir les poissons du haut des airs.

HESPERORNIS

Dinosaure marin avec dents et ne pouvant voler

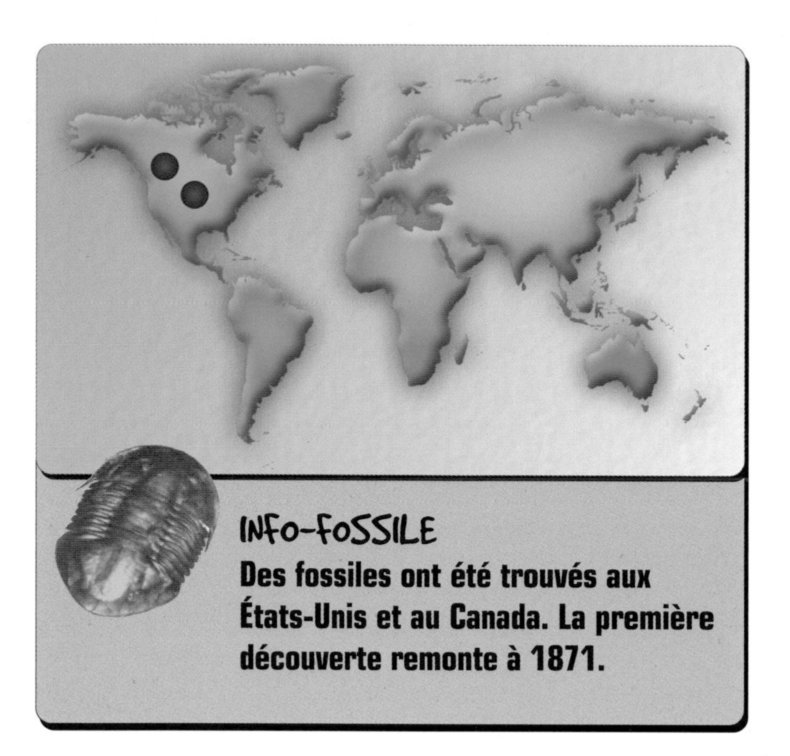

INFO-FOSSILE

Des fossiles ont été trouvés aux États-Unis et au Canada. La première découverte remonte à 1871.

Hesperornis signifie « oiseau de l'ouest ». Il a été nommé ainsi en 1871 par le **paléontologue** Othniel C. Marsh. La découverte de l'hesperornis fut très importante car elle comblait un vide de l'histoire des fossiles d'oiseaux.

L'hesperornis faisait partie du groupe dinosaures appelés hesperornithiformes. Ils étaient les seuls vrais dinosaures marins de l'ère mésozoïque. Les dinosaures qui vivaient dans la mer semblent tous provenir de l'hémisphère nord. Ils étaient des oiseaux plongeurs qui ne pouvaient voler. Ils plongeaient pour attraper des poissons.

Renseignements

PRONONCIATION :	ÈS-PÈR-OR-NIS
SOUS-ORDRE :	ODONTORNITHES
FAMILLE :	HESPERORNITHIDÉS
DESCRIPTION :	OISEAU PLONGEUR AVEC DENTS ET NE POUVANT VOLER
CARACTÉRISTIQUES :	AILES RÉSIDUELLES ET BEC AVEC DENTS
RÉGIME :	POISSONS, CALMARS ET AMMONITES

Apparence

L'hesperornis ressemblait beaucoup à un oiseau avec des dents. Il pouvait mesurer jusqu'à 1,5 m et il possédait de petites ailes inutilisables (appelées « résiduelles » par les scientifiques). Ses pattes postérieures difformes étaient situées à l'extrémité de son corps et elles se terminaient par des pieds palmés. Il avait une grosse tête au bout d'un long cou. Son grand bec renfermait des dents acérées à la mâchoire inférieure et à l'arrière de sa mâchoire supérieure.

Un autre type d'hesperornithiforme, le parahesperornis, a été découvert et il portait des traces d'épaisses plumes poilues. Il est probable que l'hesperornis possédait aussi de telles plumes. Elles ne lui permettaient pas de voler, mais elles le tenaient au chaud.

Dans l'eau, l'hesperornis était un puissant nageur et plongeur. Contrairement aux oiseaux modernes qui ne volent pas, comme le pingouin, il ne se servait pas aussi bien de ses ailes pour se

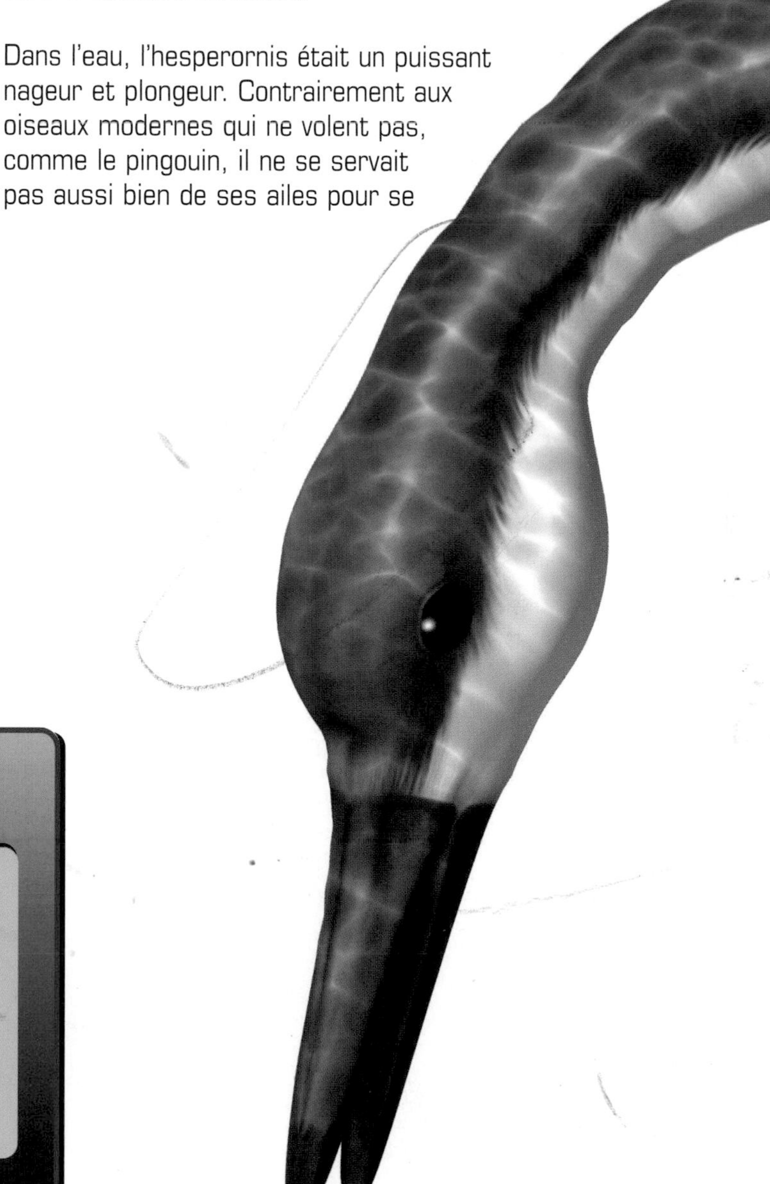

déplacer dans l'eau. Ses ailes étaient petites et inutiles alors que ses pattes postérieures étaient très puissantes. Il devait utiliser ses ailes pour se diriger dans l'eau. Ses os pesants l'aidaient à plonger plus facilement. Son corps lisse et mince était bien conçu pour se mouvoir sous l'eau.

Sur terre, l'hesperornis était maladroit et disgracieux. En raison de la position des os de ses hanches et de celle de ses pattes de derrière, il était peut-être incapable de se lever et de se dandiner sur terre. Il se déplaçait probablement en rampant sur son ventre et en poussant avec ses pattes postérieures. Il ne devait aller sur terre que pour y faire son nid et pondre ses œufs. Pour des raisons de sécurité, la nidification devait se faire en groupe et dans des endroits rocheux presque inaccessibles.

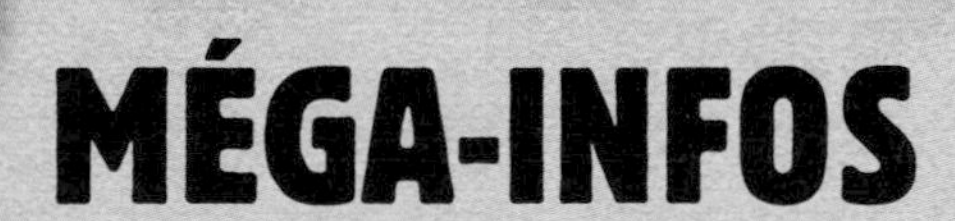

MÉGA-INFOS

- **Des restes d'hesperornis ont été trouvés dans les estomacs fossilisés de mosasaures (voir page 16).**
- **L'hesperornis était le plus grand des oiseaux qui ne volaient pas de la fin de la période crétacée.**
- **Incapable de marcher ou de voler, il représentait un repas de choix pour les prédateurs marins et terrestres.**

LA FORMATION DES FOSSILES

Le terme fossile est appliqué à toute trace du passé qui est enfermée dans la roche. La fossilisation est un processus qui s'étend sur des millions d'années. À la mort d'un dinosaure, les os commencent normalement à se décomposer. Cependant, si le corps est rapidement couvert d'une couche de terre, ce phénomène ne se produit pas.

Une fois que les sédiments ont recouvert le dinosaure, les parties qui sont molles disparaissent peu à peu et il ne reste que les os et les dents.

Les sédiments se transforment par la suite en calcaire, en argile, en grès ou en schistes. Les minéraux contenus dans l'eau qui entoure les roches se glissent dans la structure osseuse qui se change graduellement en roche.

Des millions d'années plus tard, le fossile réapparaît lorsque la couche de roche est érodée par le vent et l'eau.

Il y a peu de fossiles de dinosaures parce qu'ils étaient des animaux terrestres. Normalement, les créatures marines se fossilisaient au fond de la mer ou d'un lac alors qu'ils étaient recouverts de boue.

Comment se forment les fossiles

Les restes de dinosaure peuvent se fossiliser de différentes manières. Lorsque les sédiments recouvrent les os et que les minéraux les pénètrent, les os se transforment lentement en pierre. Ces fossiles, mélange d'os et de pierre, sont appelés « pétrifiés ».

Ankylosaure

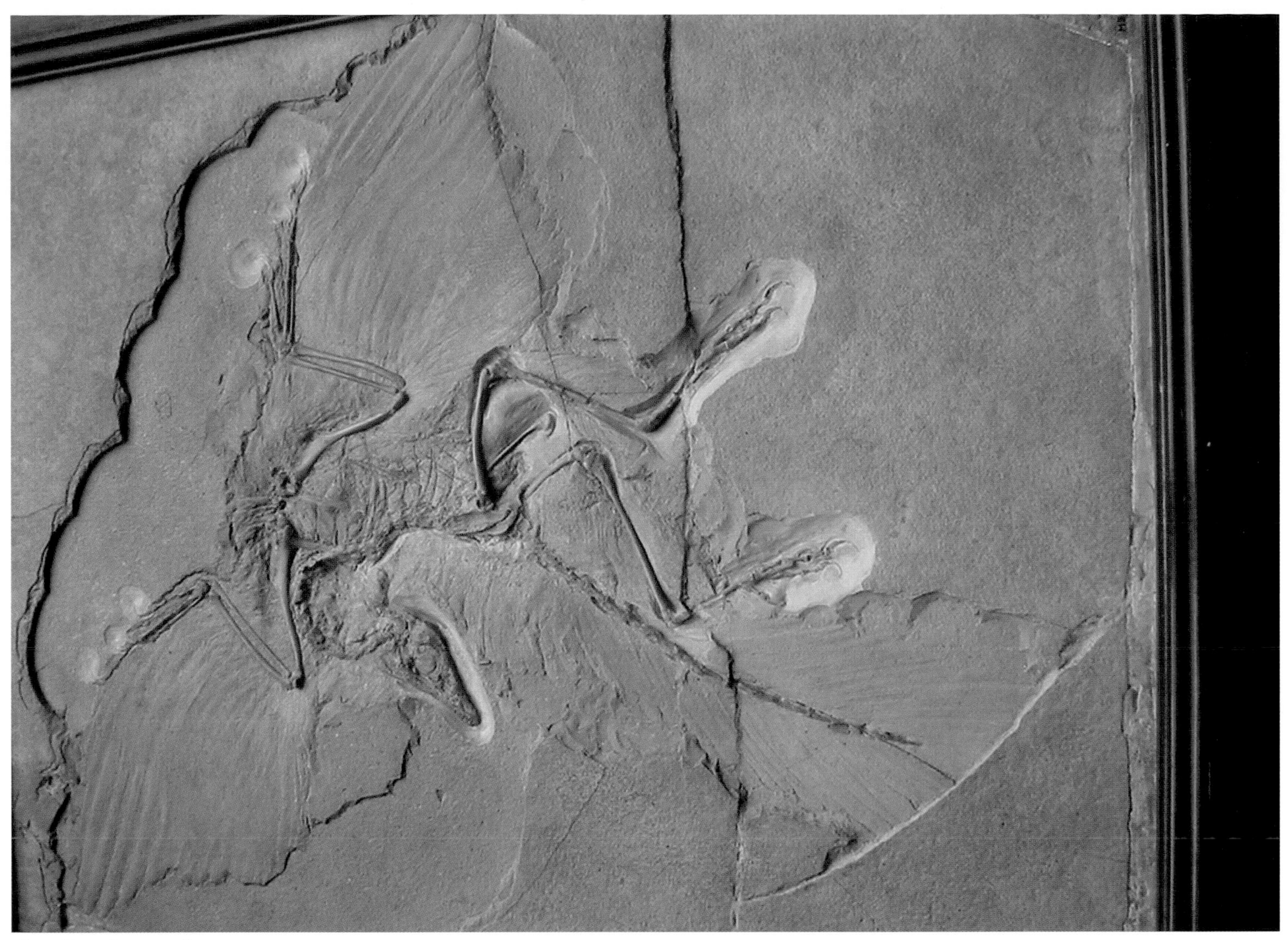

Fossiles de ramphoryncus

Parfois, de l'eau acide dissout les os et laisse un espace creux (un moule) à la place de l'os. On connaît ces fossiles sous le nom de « moule naturel » et, en y versant du plâtre ou du latex, la forme exacte de l'os peut être recréée.

Dans d'autres cas, ces moules se remplissent de sédiments composés de silice, de calcite ou de pyrite de fer et une copie parfaite (appelée réplique) est ainsi constituée. Ce type de fossile est connu sous le nom de « moule coulé ».

Il arrive qu'un animal mort soit enterré entre des couches de roches et qu'il forme un moule ou une empreinte qui peut être séparée de la couche pour former deux parties distinctes. À l'occasion, ce moule porte des traces de plumes ou de peau.

Le fossile le plus rare est celui qui est formé lorsque le corps du dinosaure est recouvert dans un endroit sec et que certaines parties molles sont conservées (ou momifiées) puis fossilisées. Dans ces cas, la texture de la peau, et même les plis, peuvent être encore visibles. Cependant, la couleur est perdue et remplacée par celle des roches qui l'entourent.

Autres fossiles

Outre les restes de dinosaures, il existe d'autres fossiles comme les empreintes de pied et les traces au sol, les nids et les œufs, les griffures au sol, les traces de dents sur les os, les bouses, les gastrolithes, etc. Cela nous permet d'en apprendre plus au sujet de la vie et du comportement des dinosaures. Par exemple, les empreintes de pied et les traces au sol peuvent permettre de savoir si un dinosaure vivait seul ou en groupe ou s'il se déplaçait rapidement.

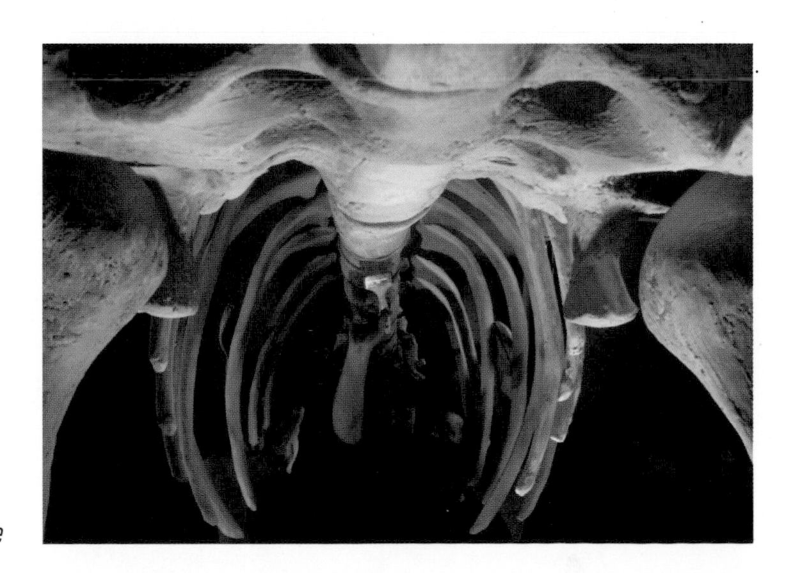

Construction d'une réplique de squelette de titanosaure

LA CHASSE AUX FOSSILES

Les fossiles sont notre seul lien avec les dinosaures. Ce sont habituellement des parties de squelette, mais des empreintes de pied, des œufs, des restes de peau et des bouses ont parfois été trouvés.

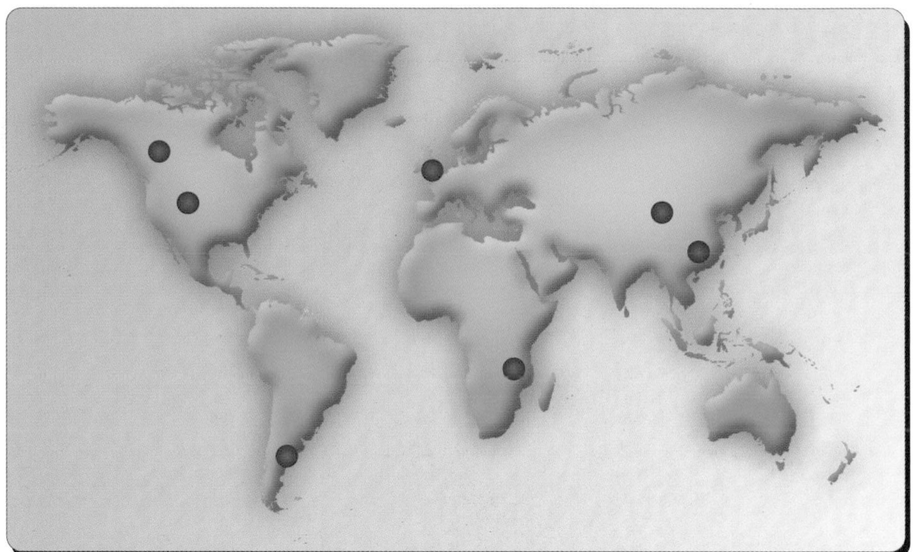

La découverte d'un site peut se produire par accident comme, par exemple, en effectuant un autre travail, ou bien être planifiée dans ce but.

Les dinosaures ont vécu sur tous les continents, même si, à l'époque, ces derniers n'étaient pas situés aux mêmes endroits qu'actuellement. Les climats étaient aussi très différents. La plupart des fossiles proviennent d'animaux marins et plus particulièrement de ceux qui vivaient dans les eaux peu profondes des littoraux. La boue présente à ces endroits les enterrait rapidement. Comme les dinosaures étaient tous des animaux terrestres, on retrouve moins de leurs fossiles. Leur carcasse était habituellement mangée par les charognards et les restes dispersés par le vent. Par contre, si les restes étaient rapidement recouverts, il y avait des chances qu'ils se fossilisent. Parfois, les restes se retrouvaient dans un ruisseau ou une rivière et, de là, ils poursuivaient leur chemin jusqu'à un lac ou une mer où ils se fossilisaient.

Les premiers fossiles

C'est dans l'ouest de l'Angleterre que les premiers fossiles de dinosaures ont été étudiés scientifiquement. Les pays où l'on a retrouvé plusieurs fossiles sont les États-Unis, le Canada, la Chine, la Mongolie, l'Argentine et la Tanzanie. Cependant, il reste plusieurs régions du globe à fouiller.

L'extraction des fossiles

Les **paléontologues** qui découvrent un site renfermant des fossiles doivent utiliser des techniques spéciales pour extraire les fossiles sans les endommager. Ces techniques nous assurent d'en apprendre le plus possible et de prévenir les dommages relatifs au transport vers les laboratoires. Puis, les fossiles sont prêts à être étudiés par les scientifiques avant d'être exposés au public.

La roche qui entoure la forme de l'os doit être enlevée et on se retrouve ensuite avec un bloc compact. Puis, ce dernier est enveloppé dans un emballage composé de papier et de couches de tissu trempé dans le plâtre qui, une fois durci, permet d'enlever le bloc entier et de le transporter sans briser le fossile qui se trouve à l'intérieur.

La recherche scientifique débute sur le terrain avec des notes détaillées sur la position des os et ce, afin de connaître leur disposition exacte ainsi que les types de roches qui les entourent.

Ce qui reste de roche est ensuite enlevé à l'aide de petits outils ou dissous dans l'acide. Une fois la préparation en laboratoire terminée, chaque os est décrit, mesuré et analysé pour être en mesure d'identifier aussi précisément que possible l'animal et de savoir s'il s'agit d'une nouvelle espèce.

GUIDE DE PRONONCIATION

A

Acrocanthosaure	Ak-rô-kan-tô-zore
Allosaure	Al-ô-zore
Altirhinus	Al-ti-rin-us
Ankylosaure	An-ki-lô-zore
Apatosaure	A-pat-ô-zore
Arrhinocératops	A-ri-nô-céra-tops
Archæopteryx	Ark-éôp-tèr-iks
Argentinosaure	Ar-jan-tine-ô-zore

B

Baryonyx	Bar-i-one-iks
Brachiosaure	Brak-i-ô-zore

C

Camarasaure	Ka-mar-a-zore
Camptosaure	Kamp-tô-zore
Carcharodontosaure	Kar-kar-ô-don-tô-zore
Carnotaurus	Kar-nô-tor-us
Caudipteryx	Kô-dip-tèr-iks
Centrosaure	Sen-trô-zore
Cœlophysis	Koè-lô-fis-is
Cœlurus	Koè-lur-us
Compsognathus	Komp-sô-gna-tusse
Corythosaure	Kor-i-tô-zore

D

Deinonychus	Déin-on-i-kus
Dimétrodon	Di-mét-rô-don
Dimorphodon	Di-morf-ô-don
Diplodocus	Dip-lod-ô-kus
Drinker	Drink-eur
Dromæsaure	Dro-maé-zore
Dryosaure	Dri-ô-zore

E

Édaphosaure	É-daf-ô-zore
Edmontonia	Èd-mone-ton-i-a
Edmontosaure	Èd-mone-tô-zore
Élasmosaure	É-las-mô-zore
Éoraptor	É-ô-rap-tore
Eryops	È-ri-ops

G

Gallimimus	Gal-i-mim-usse
Gerrothorax	Jè-rô-tor-ax
Gigantosaure	Jig-an-tô-zore
Gryposaure	Grip-ô-zore

H

Hadrosaure	Ad-rô-zore
Herrérasaure	È-ré-ra-zore
Hesperornis	Ès-pèr-or-nis
Huayangosaure	Ou-a-yang-ô-zore
Hypacrosaure	I-pa-krô-zore
Hypsilophodon	Ip-sil-ô-fo-don

I

Ichtyosaure	Ik-ti-ô-zore
Iguanodon	Ig-ouan-ô-don

K

Kentrosaure	Kèn-trô-zore
Kronosaure	Kro-nô-zore

L

Leællynasaura	Lè-a-èl-lin-a-zor-a

Leptocératops Lèp-tô-cér-a-tops
Liopleurodon Li-ô-pleu-rô-don

M

Maïasaura Ma-i-a-zora
Mégalosaure Még-a-lô-zore
Mélanosaure Mél-a-nô-zore
Microcératops Mi-kro-sér-a-tops
Minmi Mine-mi
Mosasaure Môz-a-zore

N

Nodosaure No-dô-zore
Nothosaure No-tô-zore

O

Ophtalmosaure Of-tal-mô-zore
Orodromeus Orô-drom-é-us
Othnielia Ot-ni-èl-i-a
Oviraptor Ô-vi-rap-tor

P

Panoplosaure Pan-ô-plô-zore
Parasaurolophus Par-a-zor-ô-lo-fus
Piatnizkysaure Pi-at-nits-ki-zore
Plésiosaure Plé-zi-ô-zore
Procompsognatus Pro-comp-sô-gna-tus
Protocératops Pro-tô-cér-a-tops
Psittacosaure Psit-a-kô-zore
Ptéranodon Ptér-ane-ô-don
Ptérosaure Ptér-ô-zore

Q

Quetzalcoatlus Kèt-zal-cô-at-lus

R

Rhamphorhynchus Ran-for-ink-us

S

Saltasaure Salt-a-zore
Saltopus Sal-tô-pus
Saurornithoïdé Sor-ôr-ni-to-i-dé
Scelidosaure Sèl-i-dô-zore
Scutellosaure Sku-tèl-ô-zore

Séismosaure Séis-mô-zore
Shonisaure Chon-i-zore
Spinosaure Spine-ô-zore
Stégosaure Stég-ô-zore
Stygimoloch Sti-gi-mo-lok
Styracosaure Sti-rak-ô-zore

T

Ténontosaure Tén-on-tô-zore
Thescelosaure Tès-èl-ô-zore
Titanosaure Ti-tan-ô-zore
Tricératops Tri-cér-a-tops
Troödon Trô-ô-don
Tropéognatus Trope-éô-gna-tus
Tylosaure Ti-lô-zore
Tyrannosaure Ti-ran-ô-zore

U

Ultrasaure Ul-tra-zore

V

Vélociraptor Vé-lôs-i-rap-tor

GLOSSAIRE

Ammonite : mollusque marin disparu qui possédait une coquille en spirale.

Ancêtre : animal duquel un autre en est l'évolution.

Ankylosaures : groupe d'herbivores cuirassés qui vivaient entre -76 et -68 millions d'années. Ils étaient divisés en trois groupes : les ankylosauridés (comme l'ankylosaure, voir page 58), les polacanthidés et les nodosauridés (ces derniers sont différents des deux autres types d'ankylosaures car ils possédaient des épines qui sortaient de leurs épaules et de leur cou).

Aquatique : qui vit dans l'eau.

Arbre à fougère : fougère possédant un tronc central.

Archosaures : reptiles du Trias, les ancêtres immédiats des dinosaures.

Bipède : animal qui se déplace sur deux pattes.

Bone bed : site où l'on a découvert plusieurs fossiles de la même période.

Brouter : se nourrir de plantes basses.

Camouflage : couleurs qui permettent à un animal de se fondre avec le décor.

Canines : dents pointues en forme de cône.

Carcasse : corps mort et mangé par les charognards.

Carnivore : qui mange de la viande.

Cératopsien : dinosaure herbivore avec des cornes au visage.

Charognard : animal qui se nourrit de viande morte qu'il trouve au lieu de chasser.

Cœlurosaures : « lézards à la queue creuse ». Les premiers membres de ce groupe étaient très petits, mais les derniers étaient probablement les ancêtres des oiseaux.

Conifères : arbres et arbrisseaux qui restent toujours verts.

Côte jurassique : région côtière située près de Lyme Regis en Angleterre et où Mary Anning a découvert plusieurs fossiles qui l'ont rendu célèbre.

Crétacé : dernière période du Mésozoïque, entre -135 et -65 millions d'années.

Cycade : plante ressemblant au palmier et qui avait un tronc et des feuilles.

Descendant : animal dont l'évolution peut être associée à un autre animal ou à un groupe.

Dinosaures : reptiles terrestres de l'ère mésozoïque.

Érosion : usure de la surface terrestre causée par les forces naturelles.

Espèce : catégorie d'organismes vivants, végétale ou animale, pouvant se reproduire.

Évolution : processus par lequel une espèce se transforme en une autre (ordinairement sur une longue période de temps).

Extinction : la disparition d'une espèce entière.

Extinction (événement causant l') : catastrophe qui résulte en la disparition de plusieurs espèces en même temps (extinction de masse).

Extinction K-T : événement survenu à la fin de la période crétacée et qui a causé la disparition des dinosaures et de plusieurs autres espèces.

Fémur : os principal de la cuisse.

Fenestræ : creux ou trou dans un os. Provient d'un mot latin signifiant « fenêtre ».

Fibula : os du mollet.

Fossile : restes préservés dans la pierre.

Fougère : plante feuillue qui pousse dans les endroits humides.

Géologue : personne qui étudie la roche.

Ginkgo : arbre à graines primitif avec des feuilles en forme d'éventail. Il était commun à l'ère mésozoïque.

Hadrosaures : dinosaures herbivores à bec de canard.

Herbivore : animal qui ne mange que des plantes.

Ichtyosaures : reptiles marins préhistoriques.

Incisive : dent servant à couper et à ronger. Habituellement située à l'avant de la bouche.

Incuber : maintenir les œufs à une température qui favorise la croissance et le développement.

Invertébré : animal qui ne possède pas de colonne vertébrale.

Jurassique : période de l'ère mésozoïque, située entre -203 et -135 millions d'années.

Juvénile : jeune animal qui n'a pas encore atteint l'âge adulte (ou de reproduction).

Lésothaurus : dinosaure du Trias.

Lézard : reptile qui respire de l'air avec un corps couvert d'écailles et une colonne vertébrale qui est une évolution de celle des amphibiens.

Mammifère : animal poilu à sang chaud qui nourrit ses petits à l'aide de glandes mammaires. Il a évolué au cours de la période triasique.

Marsupial : mammifère qui donnait naissance à un petit qui se développait par la suite dans la poche que possédait sa mère.

Membrane : mince couche de tissus qui protège l'embryon d'un œuf.

Mésozoïque (ère) : l'âge des reptiles, entre -248 et -65 millions d'années. Elle comprend les périodes triasique, jurassique et crétacée.

Molaires : dents servant à broyer les aliments.

Mosasaures : types de reptiles marins.

Omnivore : animal qui a un régime composé de plantes et de viande.

Ornithopodes : dinosaures herbivores, habituellement bipèdes, possédant un bec. Ils ont vécu de la fin du Trias à la fin du Crétacé. Ornithopode signifie « à pieds d'oiseaux ».

Orthacanthus : requin primitif.

Osselets : os de la taille d'un pois.

Paléontologue : personne qui étudie les fossiles.

Pangée : le « super-continent » qui réunissait toutes les masses terrestres de la Terre.

Para-vertèbre : plaque osseuse supplémentaire qui s'ajoutait à la colonne d'un dinosaure.

Plésiosaures : grands reptiles marins qui vivaient à l'ère mésozoïque (ce n'était pas des dinosaures).

Prédateur : animal qui en chasse d'autres pour se nourrir.

Prêle : plante à spores primitive et commune à l'ère mésozoïque.

Prémolaires : dents situées derrière les canines et à l'avant des molaires.

Primates : groupe de mammifères incluant les singes, les humains et leurs ancêtres.

Primitif : de base, au début de son développement.

Ptérandons : groupe de reptiles volants qui étaient ordinairement édentés et qui avait une courte queue.

Ptérodophytes : type de fougère.

Ptérosaures : reptiles volants préhistoriques (ce ne sont pas des dinosaures, mais ils vivaient à la même époque).

Quadrupède : animal qui marche à quatre pattes.

Rhynchorsaures : reptiles herbivores de l'ère mésozoïque.

Sang chaud (à) : se dit d'une créature capable de garder son corps à une température constante et ce, peu importe l'environnement.

Sang froid (à) : se dit d'une créature qui contrôle sa température à l'aide de son environnement.

Sauropodes : dinosaures herbivores géants qui possédaient un long cou, une petite tête et une longue queue.

Scutum : plaque osseuse servant à protéger un animal contre les attaques.

Semi bipède : se dit d'un animal qui peut marcher sur deux ou quatre pattes.

Stégosaures : groupe de dinosaures herbivores du Jurassique et du début du Crétacé. Ils vivaient surtout en Chine et en Amérique du Nord.

Tendons : ce qui relie les muscles aux os.

Territoire : le lieu ou la région où vit un animal.

Thécondontes : les ancêtres des dinosaures.

Théropodes : rapides carnivores bipèdes possédant des mains en pince et des griffes.

Tibia : os du bas de la jambe.

Traces : empreintes de pieds fossilisées et conservées dans la pierre.

Triasique (période) : première période de l'ère mésozoïque. Située entre -248 et -203 millions d'années.

Vertèbre : les os qui sont reliés afin de former la colonne vertébrale.

Vertébré : animal qui possède une colonne vertébrale.

Vision binoculaire : capacité de concentrer les deux yeux sur le même objet.

INDEX

REMERCIEMENTS

Les auteurs et les éditeurs veulent remercier les personnes suivantes qui ont joué un rôle important dans la création de *L'encyclopédie des dinosaures* :

Illustration
HL Studios

Conception des pages
HL Studios

Éditorial
Jennifer Clark, Lucie Williams

Recherche photographique
Sam Morley

Responsable de projet
HL Studios

Conception de la jaquette
JPX

Production
Elaine Ward

Toutes les photographies et les illustrations sont la propriété de USGS, istockphoto, stockxpert, stockxchange, Flickr.com, sauf celles mentionnées ci-dessous :

THE NATURAL HISTORY MUSEUM, LONDON

FOSSILIZED DINOSAUR HEART © JIM PAGE / NORTH CAROLINA MUSEUM OF NATURAL SCIENCES / SCIENCE PHOTO LIBRARY

DINOSAUR EXTINCTION © VICTOR HABBICK VISIONS / SCIENCE PHOTO LIBRARY

CONSTRUCTION OF A REPLICA SKELETON OF TITANOSAURUS © PHILIPPE PLAILLY / SCIENCE PHOTO LIBRARY

FOSSILIZED HEAD OF CYNOGNATHUS CRATERNOTUS © SINCLAIR STAMMERS / SCIENCE PHOTO LIBRARY

DINOSAUR TRACKS © OMIKRON / SCIENCE PHOTO LIBRARY

A Belani, Belgianchocolate, Bernard Price Institute for Paleontological Research Adam Morrel, Kaptain Kobold, Kevinzim, Sarah Montani, Lawrence M. Witmer, PhD, Natuurhistorisch Museum Rotterdam (http://www.nmr.nl/), Striatic, Mark Klingler/Carnegie Museum of Natural History, John Sibbick Illustration, Musée d'histoire naturelle de Fribourg, Suisse, Jarbewowski, Maidstone Borough Council, The Academy of Natural Sciences Philadelphia.